사고력을

팩토

연산

A02
덧셈구구

매스티안

구성과 특징

2주 연산 응용 학습

연산 원리를 응용한 문제를
풀어 보며 문제해결력 신장

1주 연산 원리 학습

붙임 딱지 등의 활동으로
연산 원리를 재미있게 체득

 정답

아이와 자연스럽게 학습을 시작할 수
있도록 **스토리텔링** 방식 도입

아이들이 배우는 연산 원리에 대한
학습가이드 제시

연산 실력 체크 진단

2~4주차 사고력 연산을
학습하기 전에 연산 실력 체크

+

보충 온라인 보충 학습

매스티안 홈페이지에서 제공하는
보충 학습으로 연산 원리 다지기

온라인 활동지

매스티안 홈페이지에서 제공하는
활동지로 사고력 연산 이해도 향상

4주 사고력 학습 2

연산 원리를 바탕으로 한 사고력 연산
문제를 풀어 보며 수학적 사고력과 창의력 향상

3주 사고력 학습 1

연산 원리를 바탕으로 한 사고력 연산
문제를 풀어 보며 수학적 사고력과 창의력 향상

• 3, 4주차 1일 학습 흐름 •

 →  → 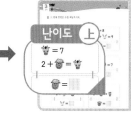 →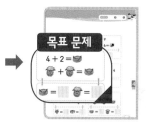

특정 주제를 쉬운 문제부터 목표 문제까지 차근차근
학습할 수 있도록 설계 되어 있어 자기주도학습 가능

★ App Game 팩토 연산 SPEED UP

앱스토어에서 무료로 다운받은
팩토 연산 SPEED UP으로 덧셈, 뺄셈,
곱셈, 나눗셈의 연산 속도와 정확성 향상

★ 부록 칭찬 붙임 딱지, 상장

학습 동기 부여를 위한
칭찬 붙임 딱지와 연산왕 상장

사고력을 키우는 **팩토 연산 시리즈**

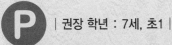 | 권장 학년 : 7세, 초1 |

권별	학습 주제	교과 연계
P01	10까지의 수	❶학년 1학기
P02	작은 수의 덧셈	❶학년 1학기
P03	작은 수의 뺄셈	❶학년 1학기
P04	작은 수의 덧셈과 뺄셈	❶학년 1학기
P05	50까지의 수	❶학년 1학기

Ⓐ | 권장 학년 : 초1, 초2 |

권별	학습 주제	교과 연계
A01	100까지의 수	❶학년 2학기
A02	덧셈구구	❶학년 2학기
A03	뺄셈구구	❶학년 2학기
A04	(두 자리 수)+(한 자리 수)	❷학년 1학기
A05	(두 자리 수)-(한 자리 수)	❷학년 1학기

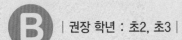 | 권장 학년 : 초2, 초3 |

권별	학습 주제	교과 연계
B01	세 자리 수	❷학년 1학기
B02	(두 자리 수)+(두 자리 수)	❷학년 1학기
B03	(두 자리 수)-(두 자리 수)	❷학년 1학기
B04	곱셈구구	❷학년 2학기
B05	큰 수의 덧셈과 뺄셈	❸학년 1학기

 | 권장 학년 : 초3, 초4 |

권별	학습 주제	교과 연계
C01	나눗셈구구	❸학년 1학기
C02	두 자리 수의 곱셈	❸학년 2학기
C03	혼합 계산	❹학년 1학기
C04	큰 수의 곱셈과 나눗셈	❹학년 1학기
C05	분수·소수의 덧셈과 뺄셈	❹학년 1학기

A02 덧셈구구 목차

A02권에서는 P02권에서 배운 받아올림이 없는 한 자리 수의 덧셈에 이어 받아올림이 있는 한 자리 수의 덧셈을 학습합니다. 이를 위해 합이 10이 되는 두 수 찾기와 10+(몇)을 이용한 세 수 더하기를 익히고 이를 활용하여 뒤 가르기 덧셈과 앞 가르기 덧셈을 마지막으로 덧셈구구를 완성합니다.

덧셈구구는 받아올림이 있는 큰 수의 덧셈에서 반복 적용되기 때문에 답이 빠르게 나올 수 있도록 충분한 시간을 가지고 반복 연습해 주세요.

1일차	10 만들기
$8 + \boxed{2} = 10$	합이 10이 되는 두 수의 덧셈을 학습합니다.

2일차	10 더하기
$10 + 3 = \boxed{13}$	10과 한 자리 수의 덧셈을 학습합니다.

학습관리표

일 자			소요 시간	틀린 문항 수	확인
1 일차	월	일	:		
2 일차	월	일	:		
3 일차	월	일	:		
4 일차	월	일	:		
5 일차	월	일	:		

3일차	세 수 더하기
$8 + 2 + 4 = \boxed{14}$ $\quad \diagdown\diagup$ $\quad 10 + 4$	세 수 중 두 수의 합이 10인 세 수의 덧셈을 학습합니다.

4일차	뒤 가르기 덧셈
$9 + 3 = \boxed{12}$ $\quad\quad\diagup\diagdown$ $9 + 1 + 2$	뒤의 수를 갈라 앞의 수와 10을 만든 후, 나머지 수와 더하는 두 수의 덧셈을 학습합니다.

5일차	앞 가르기 덧셈
$4 + 9 = \boxed{13}$ $\diagup\diagdown$ $3 + 1 + 9$	앞의 수를 갈라 뒤의 수와 10을 만든 후, 나머지 수와 더하는 두 수의 덧셈을 학습합니다.

연산 실력 체크
1주차 학습에 이어 2, 3, 4주차 학습을 원활히 하기 위하여 연산 실력 체크를 합니다.   연습이 더 필요할 경우에는 매스티안 홈페이지의 보충 학습을 풀어 봅니다.

1주

10 만들기

🌷 달걀을 붙여 ▨ 안에 알맞은 수를 써넣으시오.

준비물 ▶ 붙임 딱지

$$8 + \boxed{} = 10$$

$$7 + \boxed{} = 10$$

$$5 + \boxed{} = 10$$

👤 달걀을 색칠하여 ☐ 안에 알맞은 수를 써넣으시오.

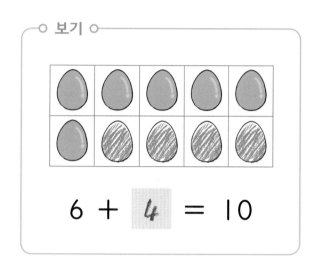

보기

$$6 + 4 = 10$$

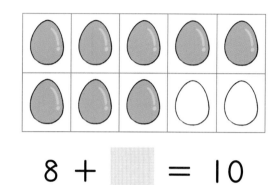

$$8 + \boxed{} = 10$$

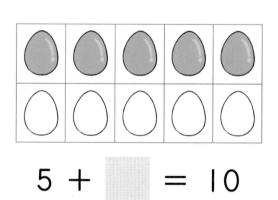

$$5 + \boxed{} = 10$$

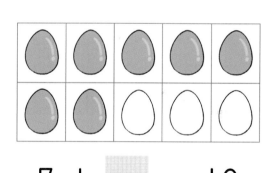

$$7 + \boxed{} = 10$$

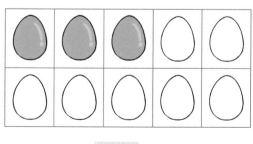

$$3 + \boxed{} = 10$$

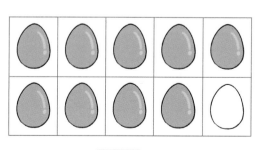

$$9 + \boxed{} = 10$$

오 ○를 그려 █ 안에 알맞은 수를 써넣으시오.

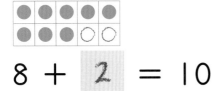

$8 + 2 = 10$

$3 + = 10$

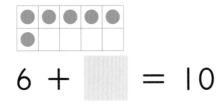

$6 + = 10$

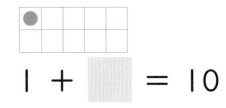

$1 + = 10$

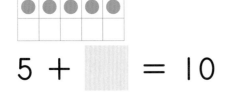

$5 + = 10$

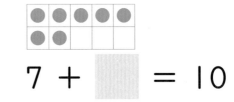

$7 + = 10$

$2 + = 10$

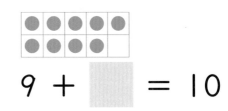

$9 + = 10$

$4 + = 10$

$8 + = 10$

1
A02

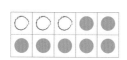
$3 + 7 = 10$

$+ 5 = 10$

$+ 2 = 10$

$+ 9 = 10$

$+ 8 = 10$

$+ 4 = 10$

$+ 5 = 10$

$+ 3 = 10$

$+ 6 = 10$

$+ 1 = 10$

🌱 ▨ 안에 알맞은 수를 써넣으시오.

9 + ▨ = 10   2 + ▨ = 10

4 + ▨ = 10   7 + ▨ = 10

5 + ▨ = 10   6 + ▨ = 10

8 + ▨ = 10   1 + ▨ = 10

6 + ▨ = 10   4 + ▨ = 10

3 + ▨ = 10   5 + ▨ = 10

☐ + 3 = 10   ☐ + 6 = 10

☐ + 1 = 10   ☐ + 7 = 10

☐ + 4 = 10   ☐ + 2 = 10

☐ + 9 = 10   ☐ + 3 = 10

☐ + 5 = 10   ☐ + 8 = 10

☐ + 2 = 10   ☐ + 4 = 10

10 더하기

🌷 달걀을 깨고 나오는 병아리를 알맞게 붙여 덧셈을 하시오.

준비물 ▶ 붙임 딱지

✿ ◯를 알맞게 색칠하여 덧셈을 하시오.

┌─○ 보기 ○─────────────────────┐

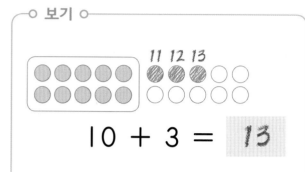

10 + 3 = 13

└──────────────────────────────┘

10 + 5 =

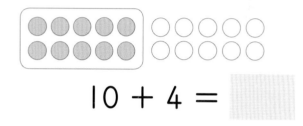

10 + 1 =   10 + 4 =

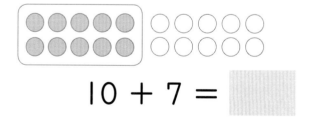   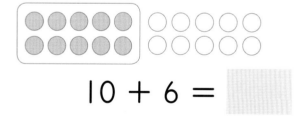

10 + 7 =   10 + 6 =

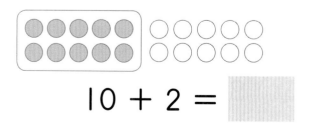   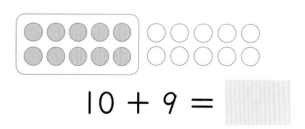

10 + 2 =   10 + 9 =

2 일차

♀ 덧셈을 하시오.

$10 + 3 = \boxed{1 \mid 3}$

$9 + 10 = \boxed{1 \mid 9}$

$10 + 7 = \boxed{}$

$2 + 10 = \boxed{}$

$10 + 4 = \boxed{}$

$6 + 10 = \boxed{}$

$10 + 1 = \boxed{}$

$7 + 10 = \boxed{}$

$10 + 6 = \boxed{}$

$5 + 10 = \boxed{}$

$10 + 8 = \boxed{}$

$3 + 10 = \boxed{}$

```
  1 0
+   5
─────
  1 5
```

```
  1 0
+   2
─────
```

```
  1 0
+   6
─────
```

```
  1 0
+   7
─────
```

```
  1 0
+   1
─────
```

```
  1 0
+   8
─────
```

```
    4
+ 1 0
─────
  1 4
```

```
    7
+ 1 0
─────
```

```
    3
+ 1 0
─────
```

```
    8
+ 1 0
─────
```

```
    2
+ 1 0
─────
```

```
    9
+ 1 0
─────
```

❂ 덧셈을 하시오.

10 + 6 =

2 + 10 =

10 + 9 =

5 + 10 =

10 + 1 =

8 + 10 =

10 + 3 =

4 + 10 =

10 + 8 =

7 + 10 =

10 + 4 =

9 + 10 =

1

A02

```
  1 0          1 0          1 0
+   6        +   4        +   1
```

```
  1 0          1 0          1 0
+   8        +   3        +   5
```

```
    7            2            9
+ 1 0        + 1 0        + 1 0
```

```
    5            6            3
+ 1 0        + 1 0        + 1 0
```

세 수 더하기

🌷 물을 알맞은 양만큼 옮겨 덧셈을 하시오.

준비물 ▶ 붙임 딱지

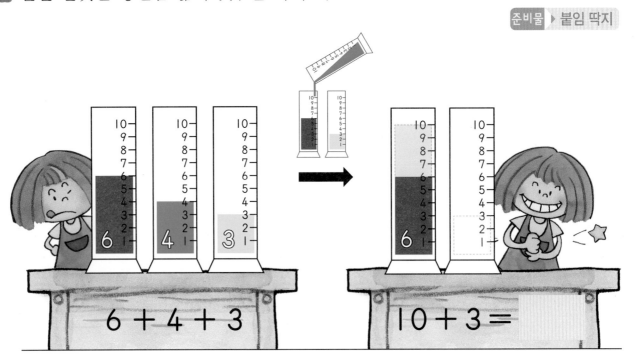

$$6 + 4 + 3$$

$$10 + 3 =$$

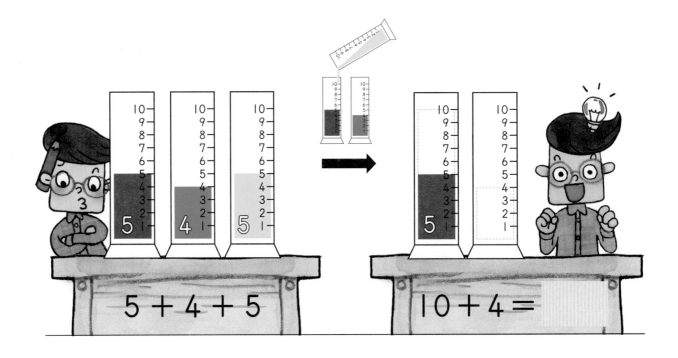

$$5 + 4 + 5$$

$$10 + 4 =$$

🙂 그림을 보고 세 수의 덧셈을 하시오.

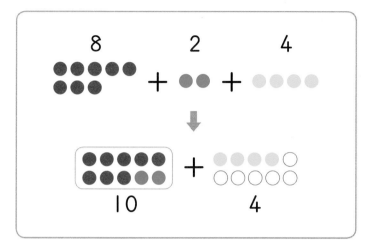

$$8 + 2 + 4 = \boxed{}$$

$$10 + 4$$

1

A02

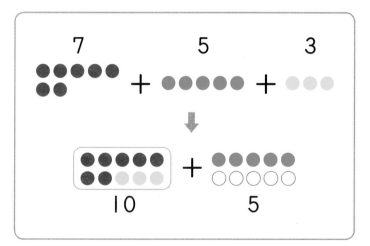

$$7 + 5 + 3 = \boxed{}$$

$$10 + 5$$

$$3 + 9 + 1 = \boxed{}$$

$$3 + 10$$

♀ 10이 되는 두 수를 찾아 세 수의 덧셈을 하시오.

$9 + 3 + 1 =$ ⟨13⟩   ⑩

$2 + 7 + 3 =$ ⑩

$8 + 5 + 2 =$ ⑩

$1 + 9 + 5 =$ ⑩

$3 + 7 + 6 =$ ⑩

$4 + 1 + 6 =$ ⑩

$3 + 2 + 8 =$ ⑩

$9 + 8 + 1 =$ ⑩

$7 + 5 + 5 =$ ⑩

$2 + 8 + 9 =$ ⑩

$5 + 3 + 7 =$

⑩

$2 + 8 + 4 =$

⑩

$1 + 3 + 9 =$

⑩

$5 + 7 + 5 =$

⑩

$4 + 5 + 5 =$

⑩

$2 + 8 + 5 =$

⑩

$6 + 8 + 4 =$

⑩

$4 + 3 + 6 =$

⑩

$8 + 2 + 7 =$

⑩

$8 + 3 + 7 =$

⑩

3
일차

🌻 덧셈을 하시오.

$4 + 2 + 8 =$

$7 + 9 + 3 =$

$8 + 2 + 6 =$

$4 + 6 + 8 =$

$1 + 3 + 9 =$

$6 + 5 + 5 =$

$9 + 1 + 2 =$

$8 + 1 + 2 =$

$5 + 7 + 5 =$

$9 + 4 + 6 =$

$5 + 4 + 6 =$

$9 + 8 + 1 =$

$5 + 5 + 3 =$

$9 + 2 + 1 =$

$6 + 1 + 4 =$

$4 + 3 + 7 =$

$7 + 8 + 2 =$

$4 + 6 + 8 =$

$1 + 9 + 5 =$

$5 + 4 + 5 =$

$7 + 3 + 8 =$

$6 + 3 + 7 =$

$4 + 3 + 6 =$

$8 + 9 + 2 =$

4 일차 뒤 가르기 덧셈

🌷 물을 알맞은 양만큼 옮겨 덧셈을 하시오.

준비물 ▶ 붙임 딱지

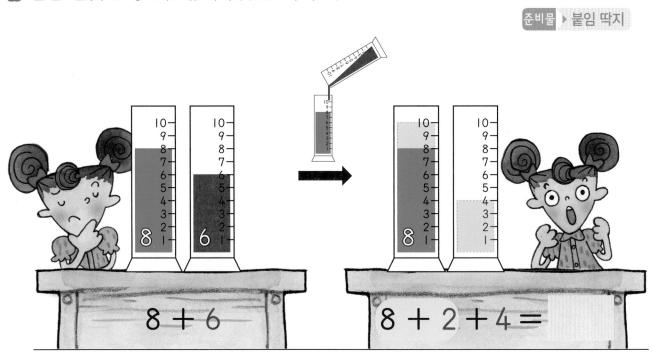

$$8 + 6 \qquad 8 + 2 + 4 =$$

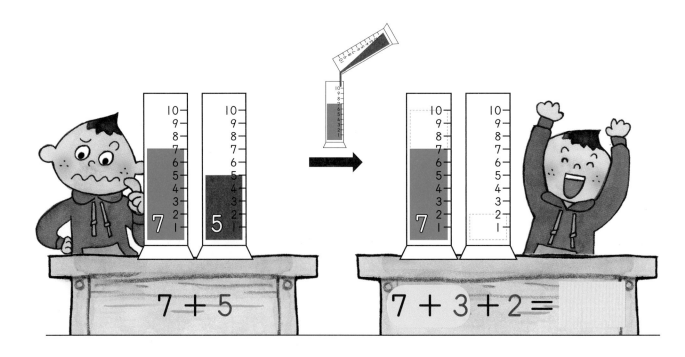

$$7 + 5 \qquad 7 + 3 + 2 =$$

⚡ 그림을 보고 덧셈을 하시오.

9   3

●●●●● + ●●●
●●●●

⬇

[●●●●● ●●●●●] + ●●●●○
                ○○○○○
10   2

$9 + 3 = \boxed{}$

$9 + 1 + 2$

---

7   4

●●●●● + ●●●●
●●●●

⬇

[●●●●● ●●●●●] + ●○○○○
                ○○○○○
10   1

$7 + 4 = \boxed{}$

$7 + 3 + 1$

---

8   5

●●●●● + ●●●●●
●●●

⬇

[●●●●● ●●●●●] + ●●●○○
                ○○○○○
10   3

$8 + 5 = \boxed{}$

$8 + 2 + 3$

1
A02

♀ 뒤의 수를 갈라 덧셈을 하시오.

$9 + 4 =$ 13
10   1   3

$8 + 3 =$
10   2   1

$8 + 6 =$
2   4

$7 + 6 =$

$7 + 4 =$

$6 + 5 =$

$9 + 5 =$

$8 + 4 =$

$7 + 5 =$

$9 + 7 =$

7 + 6 =

6 + 5 =

9 + 3 =

9 + 4 =

8 + 7 =

9 + 6 =

8 + 4 =

9 + 2 =

8 + 5 =

9 + 8 =

1
A02

덧셈을 하시오.

8 + 4 =　　　　　　9 + 4 =

6 + 5 =　　　　　　8 + 6 =

9 + 3 =　　　　　　9 + 5 =

7 + 4 =　　　　　　8 + 3 =

8 + 5 =　　　　　　7 + 6 =

9 + 8 =　　　　　　9 + 7 =

9 + 2 =

8 + 5 =

7 + 6 =

9 + 6 =

8 + 7 =

7 + 5 =

9 + 8 =

8 + 4 =

7 + 5 =

9 + 7 =

9 + 5 =

6 + 5 =

앞 가르기 덧셈

🌷 물을 알맞은 양만큼 옮겨 덧셈을 하시오.

준비물 ▶ 붙임 딱지

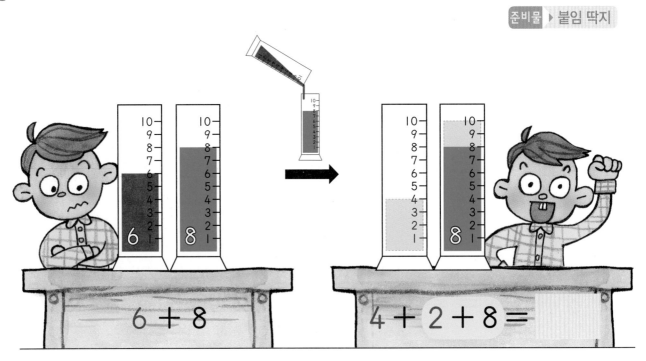

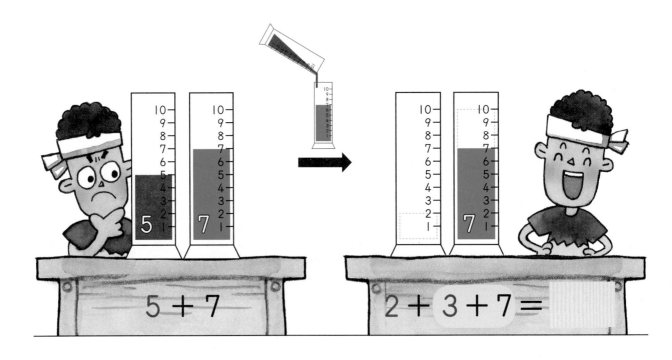

😊 그림을 보고 덧셈을 하시오.

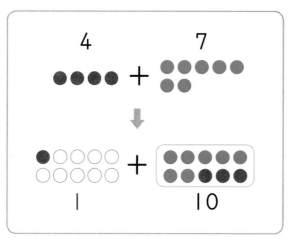

$$4 + 7 = \boxed{}$$

$$1 + 3 + 7$$

1

A02

$$4 + 9 = \boxed{}$$

$$3 + 1 + 9$$

$$6 + 8 = \boxed{}$$

$$4 + 2 + 8$$

👤 앞의 수를 갈라 덧셈을 하시오.

$4 + 9 =$ 　13　　　　　$5 + 7 =$

3　1　10　　　　　　　2　3　10

$3 + 8 =$　　　　　　　$5 + 9 =$

1　2

$6 + 9 =$　　　　　　　$6 + 7 =$

$3 + 9 =$　　　　　　　$7 + 8 =$

$4 + 7 =$　　　　　　　$2 + 9 =$

5 + 8 =

4 + 9 =

8 + 9 =

4 + 8 =

5 + 6 =

5 + 7 =

7 + 9 =

6 + 8 =

3 + 9 =

7 + 8 =

 덧셈을 하시오.

3 + 9 =

6 + 8 =

5 + 8 =

8 + 9 =

4 + 7 =

7 + 8 =

6 + 9 =

2 + 9 =

4 + 8 =

5 + 7 =

6 + 7 =

7 + 9 =

4 + 7 =

5 + 9 =

6 + 8 =

4 + 8 =

3 + 9 =

2 + 9 =

5 + 6 =

5 + 8 =

6 + 7 =

3 + 8 =

8 + 9 =

6 + 9 =

1
A02

연산 실력 체크

정답 수	/ 40개
날 짜	월 일

2~4주 사고력 연산을 학습하기 전에 기본 연산 실력을 점검해 보세요.

1. $9 + 2 =$

2. $7 + 6 =$

3. $4 + 8 =$

4. $9 + 7 =$

5. $8 + 6 =$

6. $6 + 6 =$

7. $5 + 8 =$

8. $9 + 1 =$

9. $7 + 7 =$

10. $4 + 9 =$

11. $5 + 6 =$

12. $8 + 9 =$

13. $9 + 5 =$

14. $8 + 7 =$

15. $2 + 9 =$

16. $8 + 5 =$

17. $6 + 8 =$

18. $7 + 4 =$

19. $8 + 4 =$

20. $6 + 9 =$

21. $5 + 5 =$

22. $9 + 8 =$

23. $9 + 9 =$

24. $6 + 7 =$

25. 8 + 3 =

26. 9 + 4 =

27. 5 + 7 =

28. 9 + 6 =

29. 6 + 8 =

30. 8 + 8 =

31. 7 + 5 =

32. 6 + 7 =

33. 7 + 8 =

34. 4 + 7 =

35. 9 + 3 =

36. 5 + 9 =

37. $7 + 9 =$

39. $8 + 5 =$

38. $6 + 5 =$

40. $9 + 9 =$

 연산 실력 분석

오답 수에 맞게 학습을 진행하시기 바랍니다.

평가	오답 수	학습 방법
최고예요	0 ~ 2개	전반적으로 학습 내용에 대해 정확히 이해하고 있으며 매우 우수합니다. 기본 연산 문제를 자신 있게 풀 수 있는 실력을 갖추었으므로 이제는 사고력을 향상시킬 차례입니다. 2주차부터 차근차근 학습을 진행해 보세요. 학습 [2주차] → [3주차] → [4주차]
잘했어요	3 ~ 4개	기본 연산 문제를 전반적으로 잘 이해하고 풀었지만 약간의 실수가 있는 것 같습니다. 틀린 문제를 다시 한 번 풀어 보고, 문제를 차근차근 푸는 습관을 갖도록 노력해 보세요. 매스티안 홈페이지에서 제공하는 보충 학습으로 연산 실력을 향상시킨 후 2, 3, 4주차 학습을 진행해 주세요. 학습 [틀린 문제 복습] → [보충 학습] → [2주차] → ⋯
노력해요	5개 이상	개념을 정확하게 이해하고 있지 않아 연산을 하는데 어려움이 있습니다. 개념을 이해하고 연산 문제를 반복해서 연습해 보세요. 매스티안 홈페이지에서 제공하는 보충 학습이 연산 실력을 향상시키는데 도움이 될 것입니다. 여러분도 곧 연산왕이 될 수 있습니다. 조금만 힘을 내 주세요. 학습 [1주차 원리 중심 복습] → [보충 학습] → [2주차] → ⋯

매스티안 홈페이지 : www.mathtian.com

학습관리표

일 자			소요 시간	틀린 문항 수	확인
❶ 일차	월	일	:		
❷ 일차	월	일	:		
❸ 일차	월	일	:		
❹ 일차	월	일	:		
❺ 일차	월	일	:		

2 주

저울 셈

🌷 빈 곳에 알맞은 수를 써넣으시오.

2
A02

☺ ◯ 안에 알맞은 수를 써넣으시오.

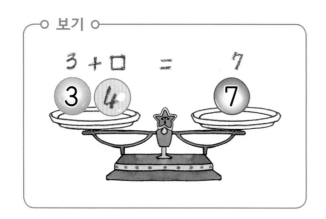

화살표를 따라 계산하고 계산한 값의 순서대로 점을 이어 보시오.

시작 ➡ 6 + 7 ➡ 3 + 8 ➡ 9 + 5 ➡ 6 + 6 ➡ 8 + 7

➡ 9 + 8 ➡ 4 + 6 ➡ 7 + 9 ➡ 9 + 9 ➡ 끝

2

A02

수 상자 셈

🌷 빈 곳에 알맞은 수를 써넣으시오.

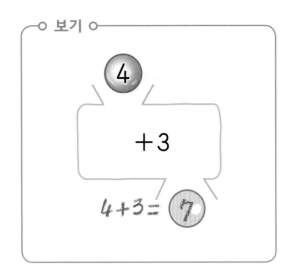

보기

4
+3
4+3= 7

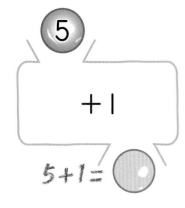

5
+1
5+1=

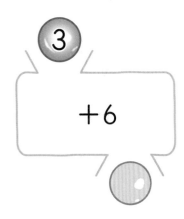

3
+6

6
+5

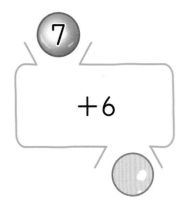

7
+6

4
+8

2
A02

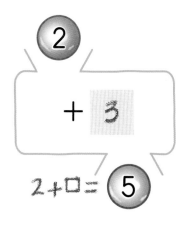

2 + □ = 5

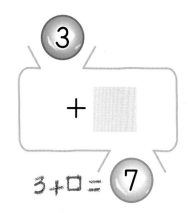

3 + □ = 7

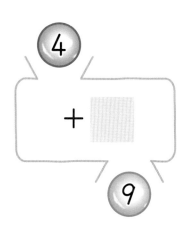

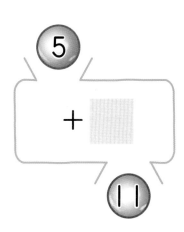

2 일차

오 ◯ 안에 알맞은 수를 써넣으시오.

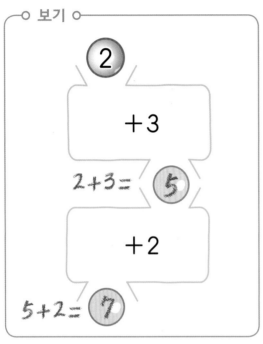

보기

2

+3

2+3= 5

+2

5+2= 7

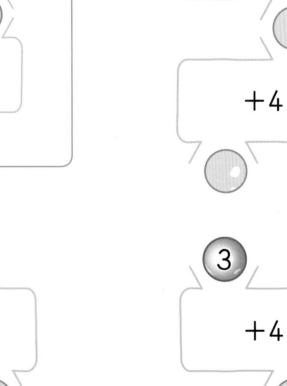

4

+2

+4

6

+3

+5

3

+4

+9

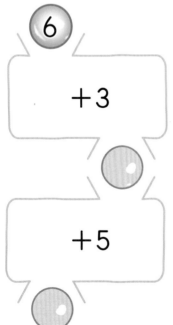

덧셈한 결과가 같은 칸을 찾아 해당 글자를 써넣어 수수께끼를 해결해 보시오.

4+9
=13

6+8

5+6

8+9

7+8

5+7

2+8

2
A02

13	11		15	10	12	14	17
문							

답 ➡

3
일차

덧셈표

🌷 가로, 세로에 쓰여 있는 수를 더하여 빈칸을 채우시오.

○ 보기 ○

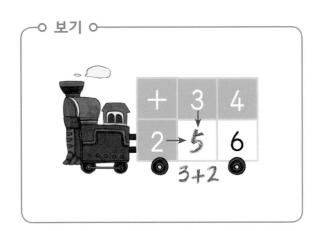

+	3	4
2	5	6

3+2

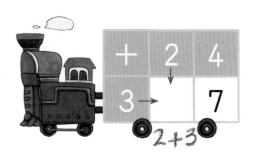

+	2	4
3		7

2+3

+	4	6	7
5	9	11	

+	3	7	9
6		13	

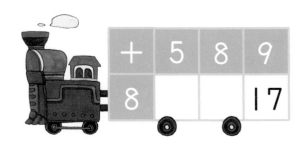

+	5	8	9
8			17

○ 가로, 세로에 쓰여 있는 수를 더하여 빈칸을 채우시오.

○ 보기 ○

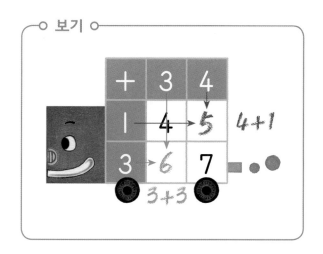

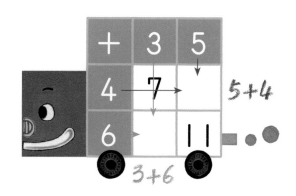

2

A02

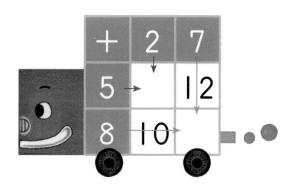

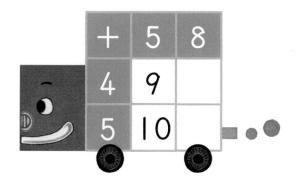

3
일차

가로, 세로에 쓰여 있는 수를 더하여 빈칸을 채우시오.

○ 보기 ○

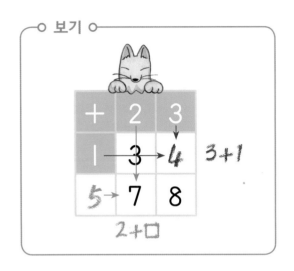

+	2	3
1	3	4
5	7	8

3+1

2+□

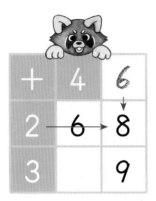

+	4	6
2	6	8
3		9

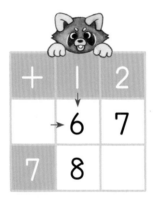

+	1	2
	6	7
7	8	

+		8
4	9	
7	12	15

+	5	9
2	7	11
	13	

덧셈을 하여 관계있는 것끼리 연결하시오.

2

A02

과녁 셈

🌷 과녁에 맞힌 점수를 [ ] 안에 써넣으시오.

○ 보기 ○

3+5 → **8** 점

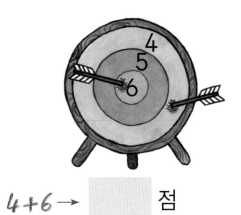

4+6 → [ ] 점

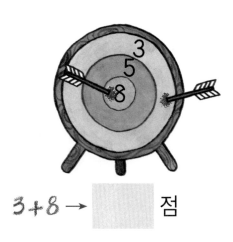

3+8 → [ ] 점

[ ] 점

[ ] 점

[ ] 점

점

점

2

A02

점

점

😃 주어진 점수가 되도록 남은 화살 1발이 맞은 곳을 찾아 🌸표 하시오.

○ 보기 ○

$1+3=$ 4점

$4+\square=$ 10점

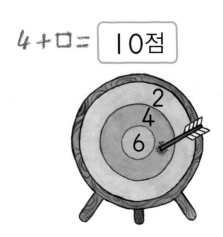

12점

14점

13점

16점

❀ 덧셈을 하여 아기 병아리를 엄마 닭에게 데려다 주시오.

사다리 셈

🌷 사다리타기를 하여 ▨ 안에 알맞은 수를 써넣으시오.

보기

5 +3 5+3 → 8

7 +2 7+2

6 +4

4 +9

7 +8

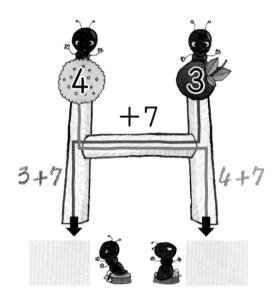

3+7   4+7

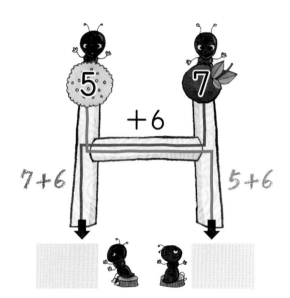

7+6   5+6

2
A02

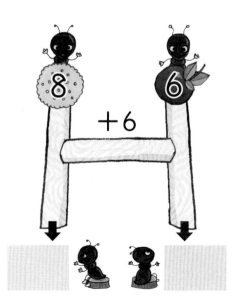

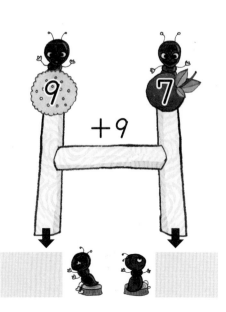

🌸 사다리타기를 하여 ▨ 안에 알맞은 수를 써넣으시오.

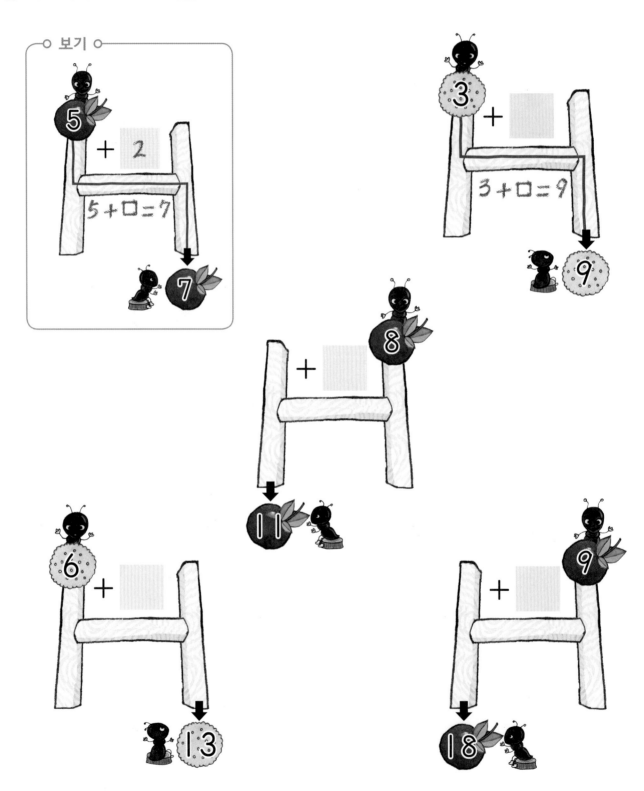

○ 보기 ○

5 + 2
5 + □ = 7
7

3 +
3 + □ = 9
9

8 +
11

6 +
13

9 +
18

❀ 표에서 계산한 값의 색깔을 찾아 ◯ 안에 색칠해 보시오.

준비물 ▶ 색연필

2
A02

8+3 = 11

5+4

2+8

9+7

6+6

6+7

5+9

11	13	10	12	16	9	14
◯	●	●	●	●	●	◯

학습관리표

일 자			소요 시간	틀린 문항 수	확인
❶ 일차	월	일	:		
❷ 일차	월	일	:		
❸ 일차	월	일	:		
❹ 일차	월	일	:		
❺ 일차	월	일	:		

3주

1
일차

가르기와 모으기

🌷 가르기와 모으기를 하여 ⬤ 안에 알맞은 수를 써넣으시오.

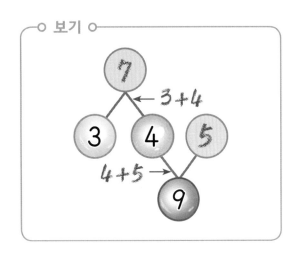

보기

7
← 3+4
3 4 5
4+5 →
9

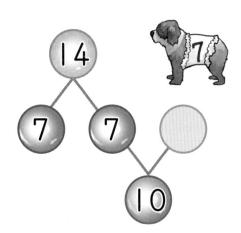

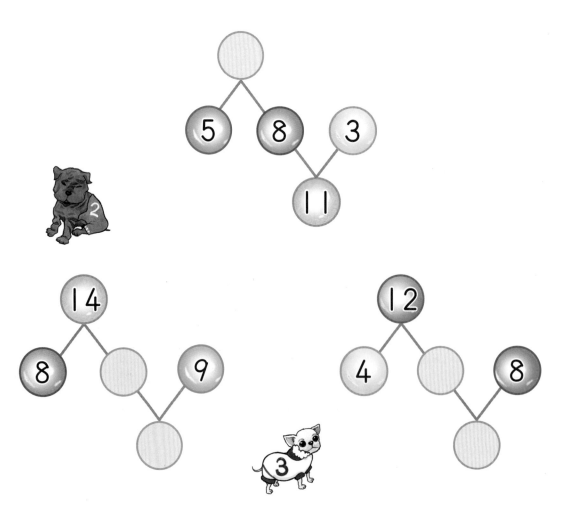

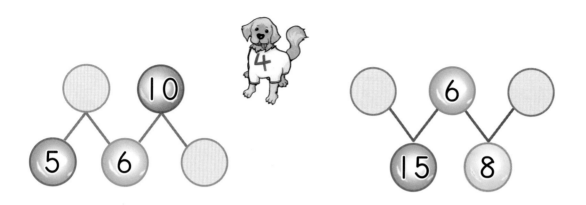

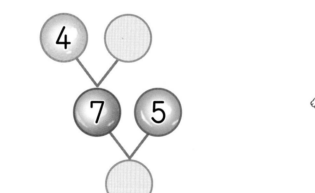

3

A02

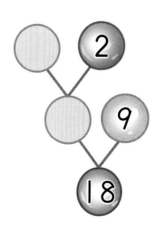

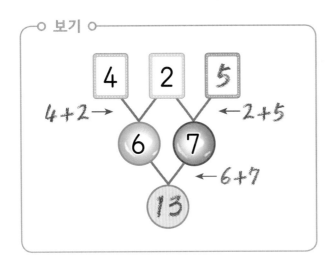

수 모으기를 하여 빈칸에 알맞은 수를 써넣으시오.

◦ 보기 ◦

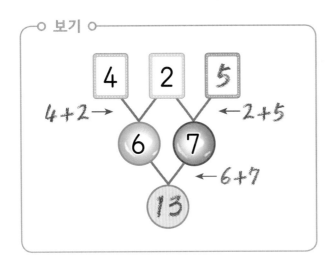

4 + 2 → 6 7 ← 2 + 5

← 6 + 7

13

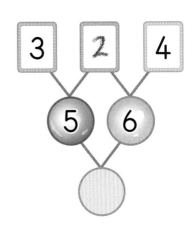

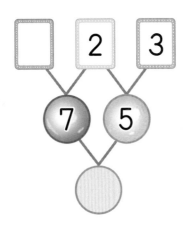

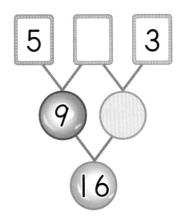

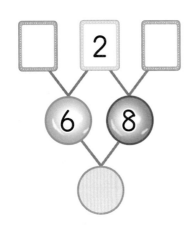

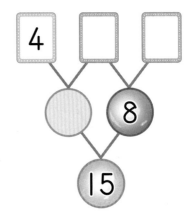

□ 안에는 알맞은 숫자 카드를, ⬤ 안에는 알맞은 수를 써넣어 주어진 수를 모아 보시오.

🖥 온라인 활동지

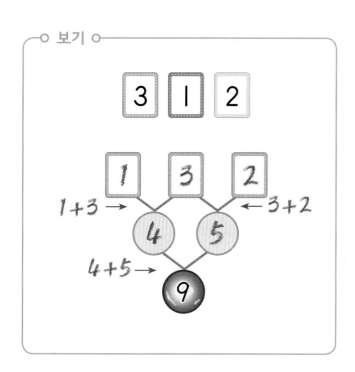

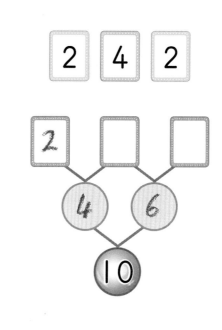

3

A02

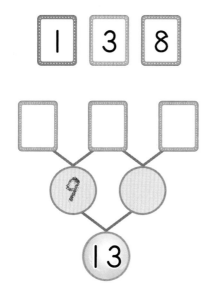

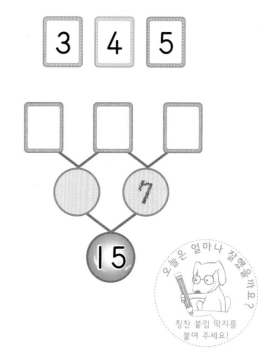

목표수 만들기

🌷 숫자 카드를 모두 사용하여 주어진 수를 만들어 보시오.

| 3 | 7 | 2 | 8 |

$2 + 7 = 9$

$\square + \square = 11$

| 9 | 3 | 7 | 5 |

$\square + \square = 10$

$\square + \square = 14$

| 4 | 9 | 8 | 2 |

$\square + \square = 10$

$\square + \square = 11$

$\square + \square = 13$

| 6 | 9 | 7 | 3 |

$\square + \square = 12$

$\square + \square = 13$

$\square + \square = 16$

| 4 | 5 | 6 | 7 | 8 | 9 |

$4 + 6 = 10$ 　　　 $\boxed{} + \boxed{} = 14$

$\boxed{} + \boxed{} = 11$ 　　　 $\boxed{} + \boxed{} = 15$

$\boxed{} + \boxed{} = 12$ 　　　 $\boxed{} + \boxed{} = 16$

$\boxed{} + \boxed{} = 13$ 　　　 $\boxed{} + \boxed{} = 17$

3
A02

👤 숫자 카드를 사용하여 덧셈으로 만들 수 있는 수를 모두 찾아보시오.

만들 수 있는 수

2 7 3 ➡

방법 1 $2 + 3 = 5$

방법 2 $2 + 7 =$

방법 3 $3 + 7 =$

만들 수 있는 수

8 6 4 ➡

방법 1 $4 + \square =$

방법 2 $4 + \square =$

방법 3 $6 + \square =$

만들 수 있는 수

9 5 8 ➡

방법 1 $\square + \square =$

방법 2 $\square + \square =$

방법 3 $\square + \square =$

숫자 카드를 사용하여 덧셈한 결과가 **가장 크게**, **가장 작게** 되도록 만들어 보시오.

🖨 온라인 활동지

5	3
2	9

가장 큰 값 $5 + 9 = 14$

가장 작은 값 $\square + \square = \square$

8	0
7	4

가장 큰 값 $\square + \square = \square$

가장 작은 값 $\square + \square = \square$

9	6
5	9

가장 큰 값 $\square + \square = \square$

가장 작은 값 $\square + \square = \square$

3
일차

❦ 📗 안에 마야 수를 알맞게 붙여 보시오.

준비물 ▶ 붙임 딱지

| 1 | 2 | 3 | 4 | 5 | 6 | 7 | 8 | 9 |
| 10 | 11 | 12 | 13 | 14 | 15 | 16 | 17 | 18 |

─○ 보기 ○─

─ + ☷ = ☰
5 + 7 = 12

☱ + ─ = ☱
6 + □ = 11

3 + 4
••• + •••• =

1 + 9
• + ☱ =

2 + 7
•• + ☱ =

6 + 6
☱ + ☱ =

3

A02

😮 ▨ 안에 그리스 수를 알맞게 붙여 보시오.

─○ 보기 ○─

$$|||+\Gamma|||= \Delta|$$
$$3 + 8 = 11$$

$$||||+ \Gamma| = \Delta$$
$$4 + \square = 10$$

1 + 5
$$| + \Gamma =$$

2 + 6
$$|| + \Gamma| =$$

3 + 7
$$||| + \Gamma|| =$$

8 + 3
$$\Gamma||| + ||| =$$

$||||$ + $\Gamma|||$ = ☐ $\Gamma||||$ + Γ = ☐

$\Gamma||$ + $\Gamma|$ = ☐ $\Gamma|||$ + $\Gamma||||$ = ☐

Γ + ☐ = Δ $\Gamma||$ + ☐ = $\Delta|$

$\Gamma|$ + ☐ = $\Delta|||$

$\Gamma|||$ + ☐ = $\Delta\Gamma||$

3

A02

4 일차

퍼즐 연산

🌷 각 줄의 수의 합이 오른쪽과 아래쪽의 수가 되도록 ◯안에 알맞은 수를 써넣으시오.

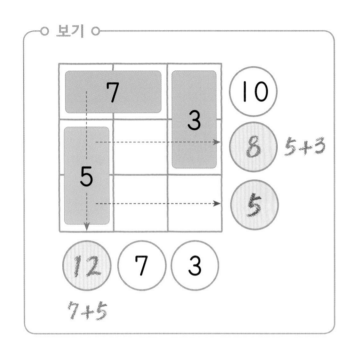

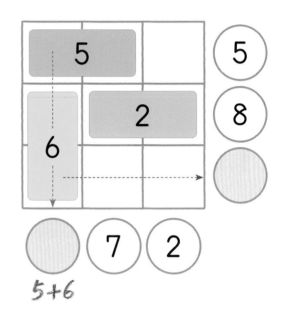

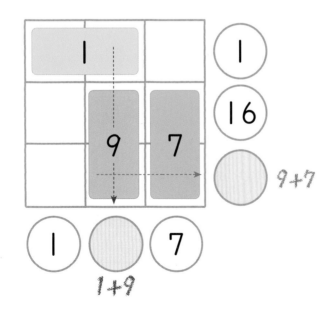

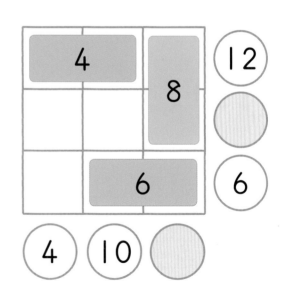

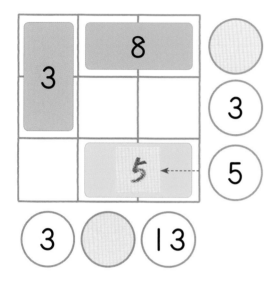

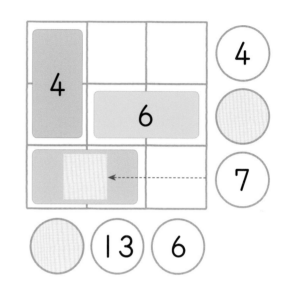

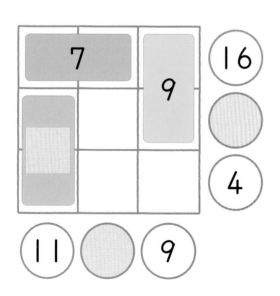

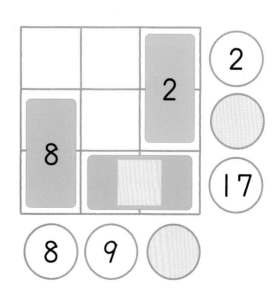

각 줄의 수의 합이 오른쪽과 아래쪽의 수가 되도록 주어진 수 막대 **2개**를 넣어 보시오.

🖶 온라인 활동지

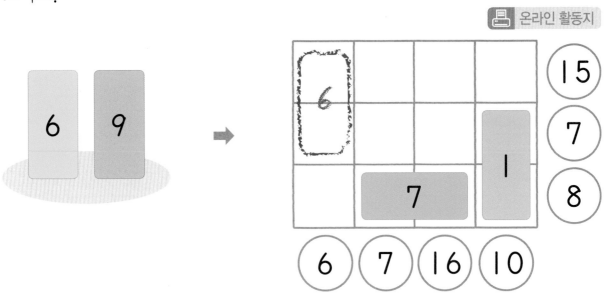

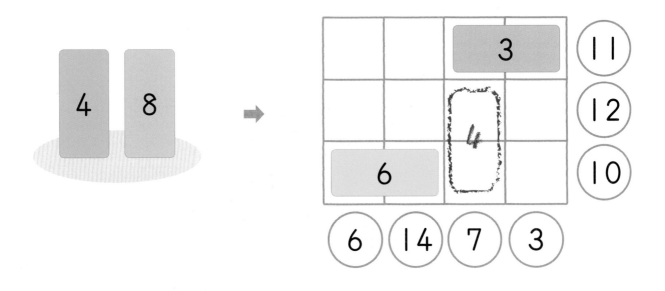

7 **8** →

2			
	5		

② 2
② 14
② 15

⑩ ⑬ ⑤ ⑦

3
A02

4 **6** →

			9
5			

② 15
② 14
② 9

⑤ ⑥ ⑩ ⑬

오늘은 얼마나 잘했을까요?
칭찬 붙임 딱지를
붙여 주세요!

5 덧셈식 찾기

일차

🌷 주어진 조각을 올렸을 때 올바른 식이 되는 곳을 찾아 색칠하시오.

보기

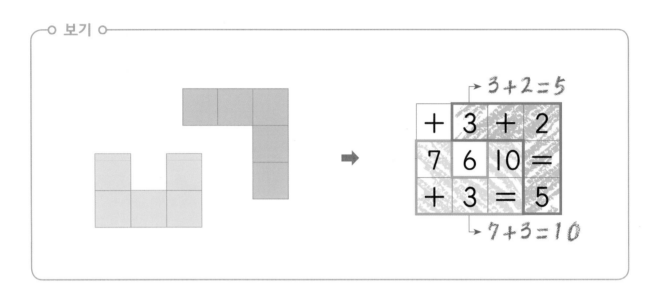

$3 + 2 = 5$

+	3	+	2
7	6	10	=
+	3	=	5

$7 + 3 = 10$

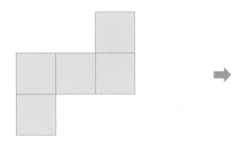

9	=	5	=
=	7	+	4
12	+	9	+

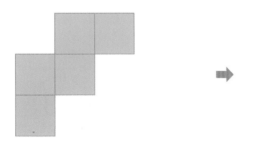

7	+	3	+
=	8	=	4
11	+	9	=

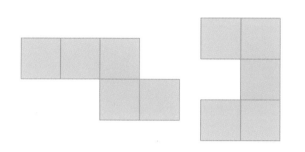

9	+	5	3	+
+	4	=	14	5
7	=	15	8	=

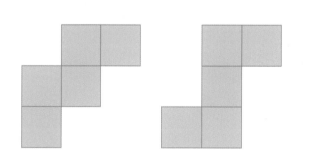

7	+	8	3	+
=	6	4	+	6
14	9	+	7	=
2	=	13	=	10

3
A02

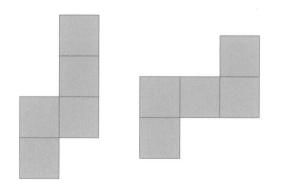

+	7	5	=	4
4	=	9	13	+
=	8	+	=	8
17	+	5	12	+

◦ □ 또는 ﹁로 묶어 덧셈식을 주어진 개수보다 많이 만들어 보시오.

4개

4	2	7	9	5	6	9	4
3	8	14	7	3	14	15	7
6	12	4	6	13	4	6	11
9	2	3	5	9	8 = 12		5

4개

15	9	4	7	4	8	3	10
3	13	2	8	13	5	7	8
7	9	14	15	6	6	2	3
5	6	11	5	2	12	11 = 8	

8개

5	7	12	4	3	8	14	2
11	3	7	18	6	5	9	6
3	15	2	3 + 7	6	12	7
8	9	6	10	4	16	2	8
13	5	2	9	7	3	4	15
3	1	13	4	1	18	8	1
18	8	3	2	9	14	6	18
7	8	15	11	6	2	9	9
3	13	3	5	1	17	4	15

$3 + 7$

11

3

A02

학습관리표

일 자			소요 시간	틀린 문항 수	확인
❶ 일차	월	일	:		
❷ 일차	월	일	:		
❸ 일차	월	일	:		
❹ 일차	월	일	:		
❺ 일차	월	일	:		

4주

1 일차

도형이 나타내는 수

🌷 도형이 나타내는 수를 찾아 ⬜ 안에 써넣으시오.

○ 보기 ○

$$3 + 3$$
$$\triangle + \triangle = 6$$

$$\triangle = 3$$

$$5 + 5$$
$$\bullet + \bullet = 10$$

$$\bullet = \boxed{}$$

$$\blacklozenge + \blacklozenge = 12$$

$$\blacklozenge = \boxed{}$$

$$\bigstar + \bigstar = 16$$

$$\bigstar = \boxed{}$$

$$\heartsuit + \heartsuit + \heartsuit = 9$$

$$\heartsuit = \boxed{}$$

$$\blacksquare + \blacksquare + \blacksquare = 12$$

$$\blacksquare = \boxed{}$$

$$2 + 2$$
$$\heartsuit + \heartsuit = 4$$
$$\heartsuit + \bigstar = 9$$
$$2 + \square$$

$$\heartsuit = \boxed{2} \quad , \quad \bigstar = \boxed{}$$

$$3 + 3$$
$$\triangle + \triangle = 6$$
$$\triangle + \blacklozenge = 8$$

$$\triangle = \boxed{} \quad , \quad \blacklozenge = \boxed{}$$

$$\blacklozenge + \blacklozenge = 8$$
$$\blacklozenge + \triangle = 10$$

$$\blacklozenge = \boxed{} \quad , \quad \triangle = \boxed{}$$

$$\bigstar + \bigstar = 10$$
$$\bigstar + \heartsuit = 13$$

$$\bigstar = \boxed{} \quad , \quad \heartsuit = \boxed{}$$

$$\heartsuit + \heartsuit = 14$$
$$\heartsuit + \bigstar = 13$$

$$\heartsuit = \boxed{} \quad , \quad \bigstar = \boxed{}$$

$$\triangle + \triangle = 18$$
$$\triangle + \blacklozenge = 17$$

$$\triangle = \boxed{} \quad , \quad \blacklozenge = \boxed{}$$

4

A02

😊 도형이 나타내는 수를 찾아 ▨ 안에 써넣으시오.

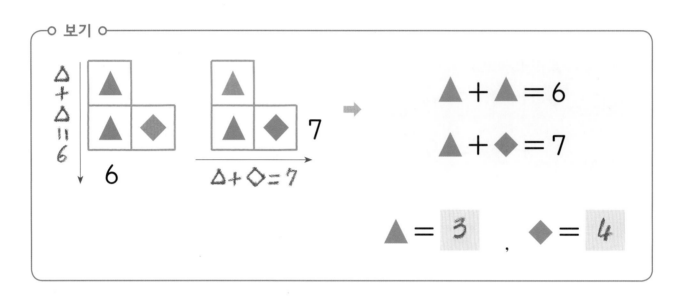

○ 보기 ○

$\triangle + \triangle = 6$

$\triangle + \diamondsuit = 7$

$\triangle = 3$, $\diamondsuit = 4$

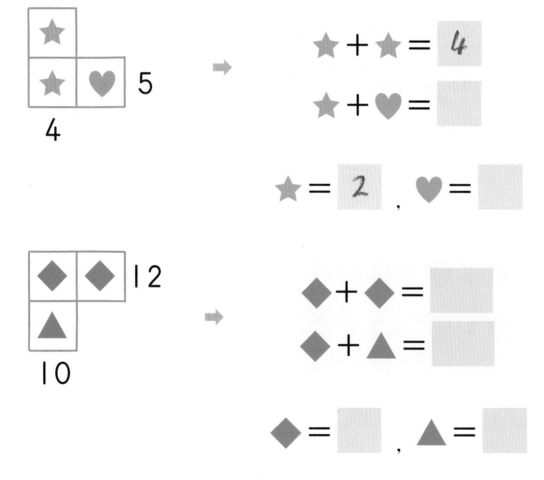

$\star + \star = 4$

$\star + \heartsuit = $

$\star = 2$, $\heartsuit = $

$\diamondsuit + \diamondsuit = $

$\diamondsuit + \triangle = $

$\diamondsuit = $, $\triangle = $

♀ 도형이 나타내는 수를 구하시오.

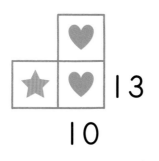

♥ = ☐ , ★ = ☐

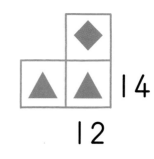

▲ = ☐ , ◆ = ☐

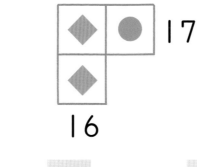

◆ = ☐ , ● = ☐

4
A02

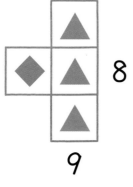

▲ = ☐ , ◆ = ☐

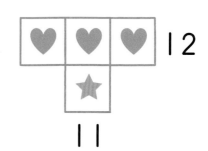

♥ = ☐ , ★ = ☐

마방진

🌷 같은 줄에 있는 수의 합이 같게 만드시오.

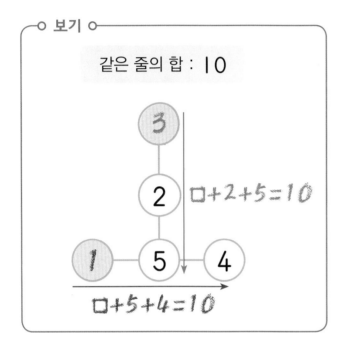

보기

같은 줄의 합 : 10

□+2+5=10

□+5+4=10

같은 줄의 합 : 12

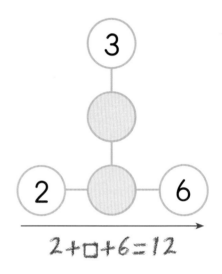

2+□+6=12

같은 줄의 합 : 9

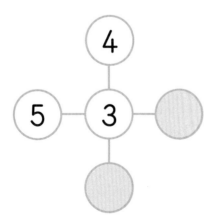

같은 줄의 합 : 10

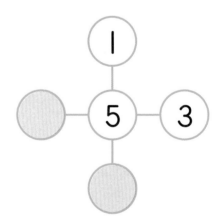

같은 줄의 합 : 9

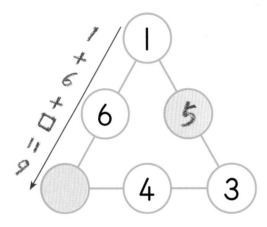

같은 줄의 합 : 12

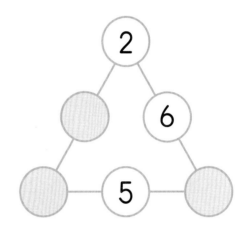

같은 줄의 합 : 11

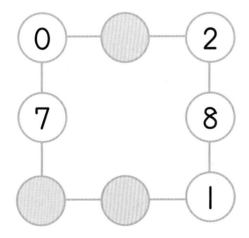

같은 줄의 합 : 12

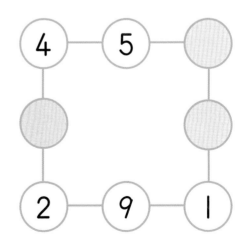

4
A02

도미노 **4**개를 이용하여 각 줄의 합이 모두 같도록 도미노의 눈을 그려 넣으시오.

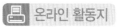

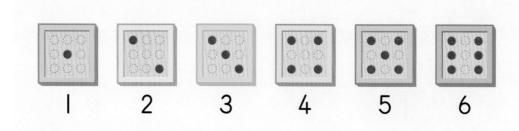

○ 보기 ○

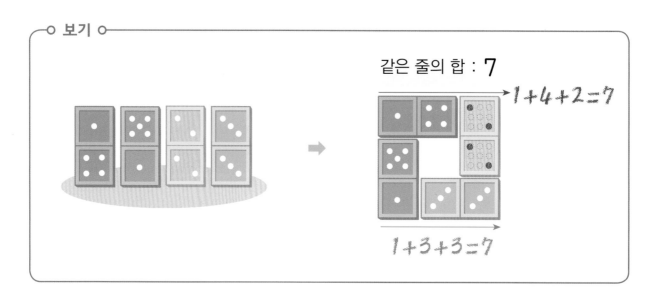

같은 줄의 합 : 7

$1+4+2=7$

$1+3+3=7$

같은 줄의 합 : 8

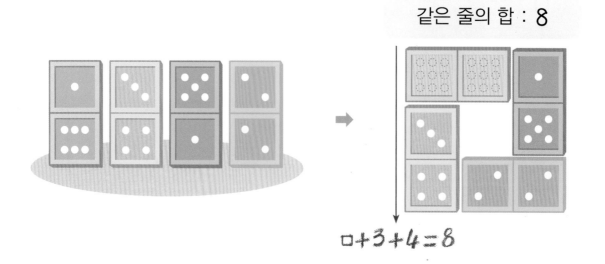

$\square+3+4=8$

같은 줄의 합 : 9

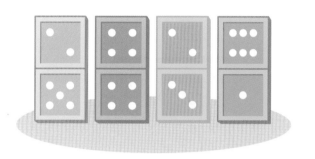 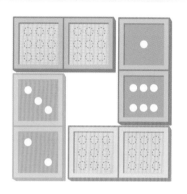

같은 줄의 합 : 10

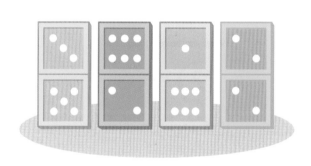 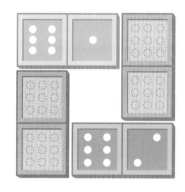

같은 줄의 합 : 11

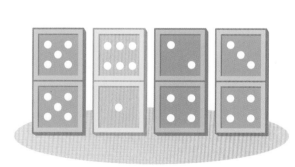 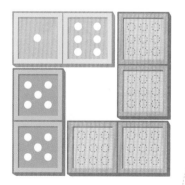

3

실 자르기

🌷 ──표 된 곳을 잘랐을 때의 모양을 그려 보시오.

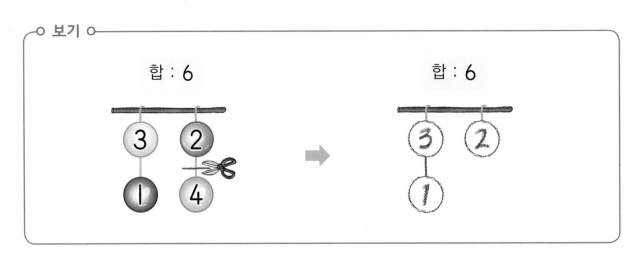

보기

합 : 6   합 : 6

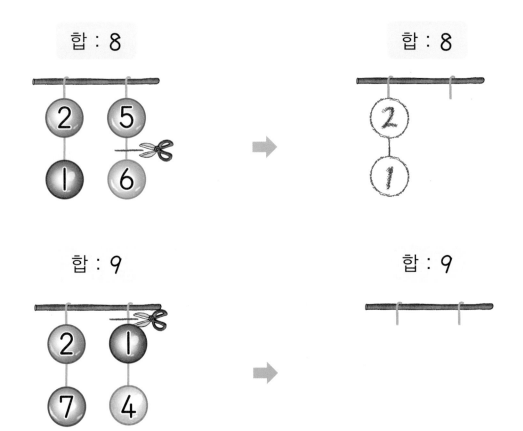

합 : 8   합 : 8

합 : 9   합 : 9

구슬에 적힌 수들의 합이 주어진 수가 되도록 잘라야 할 I곳을 ✕표 하고, 식으로 나타내시오.

○ 보기 ○

합 : 7

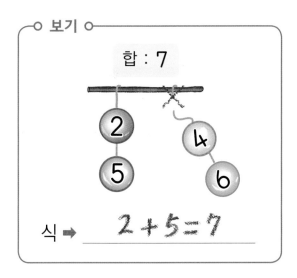

식 ➡ 2 + 5 = 7

합 : 9

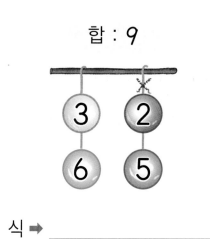

식 ➡ _____

합 : 12

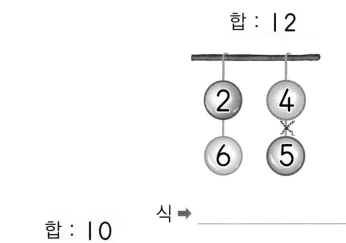

식 ➡ _____

합 : 10

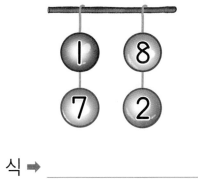

식 ➡ _____

합 : 13

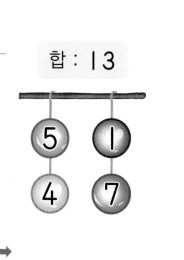

식 ➡ _____

4

A02

구슬에 적힌 수들의 합이 주어진 수가 되도록 잘라야 할 **2곳**을 ✖표 하고,
식으로 나타내시오.

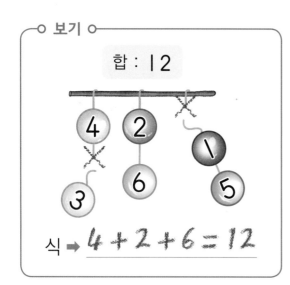

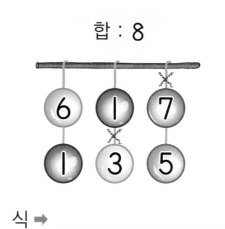

식 ➡ 4 + 2 + 6 = 12

식 ➡ _____

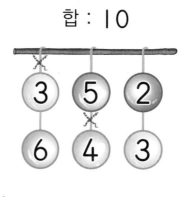

식 ➡ _____

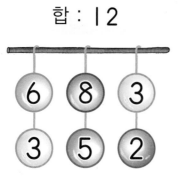

식 ➡ _____

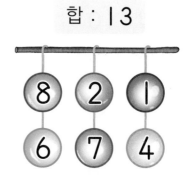

식 ➡ _____

합 : 10

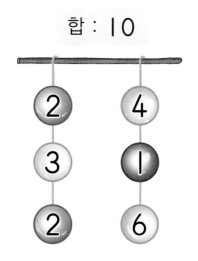

식 ➡ _____

합 : 11

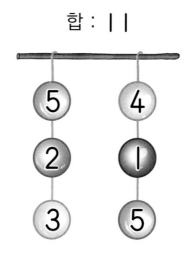

식 ➡ _____

합 : 13

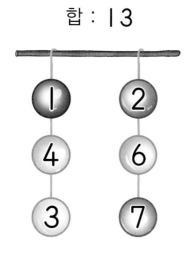

식 ➡ _____

합 : 14

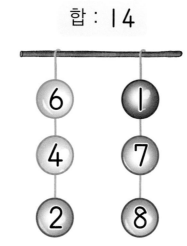

식 ➡ _____

4

A02

화살표 약속

🌷 화살표 약속에 따라 ▨ 안에 알맞은 수를 써넣으시오.

화살표 약속

▲ ➡ 3 큰 수
● ➡ 2 큰 수

3 →(+3)▲→ 6 →(+2)●→ ▨

5 →(+2)●→ ▨ →(+3)▲→ ▨

화살표 약속

■ ➡ 2 큰 수
▲ ➡ 5 큰 수

▨ →(+2)■→ 6 →(+5)▲→ ▨

▨ →▲→ 8 →▲→ ▨

화살표 약속

● ➡ 4 큰 수
▲ ➡ 6 큰 수

▨ →(+6)▲→ ▨ →(+4)●→ 12

▨ →▲→ ▨ →▲→ 15

화살표 약속을 찾아 ⬜ 안에 알맞은 수를 써넣으시오.

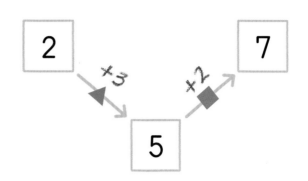

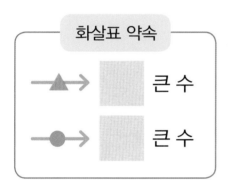

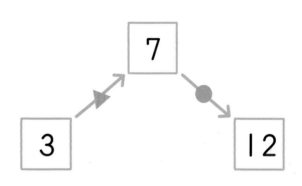

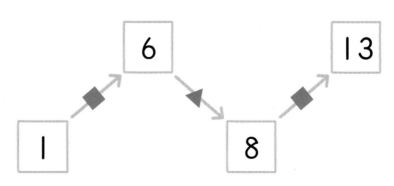

🧑 화살표 위에 알맞은 도형을 그려 넣으시오.

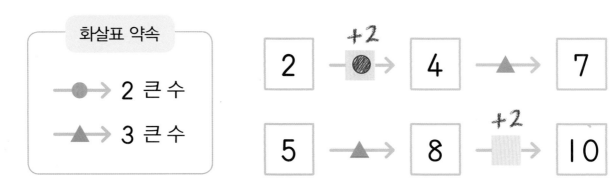

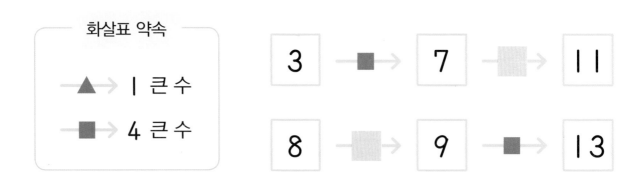

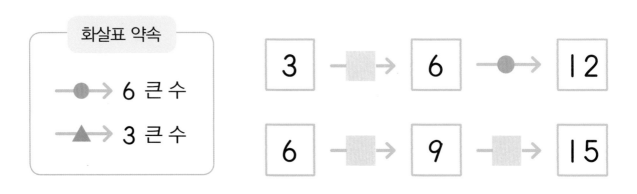

💠 화살표 위에 도형을 그리고 ▨ 안에 알맞은 수를 써넣으시오.

화살표 약속

■ → 1 큰 수

▲ → 4 큰 수

● → 6 큰 수

3 → ▨ (+4) → 7

(+1) ■

▨ → ▨ → 14

화살표 약속

■ → 1 큰 수

▲ → 2 큰 수

● → 4 큰 수

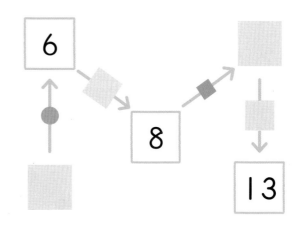

화살표 약속

■ → 2 큰 수

▲ → 3 큰 수

● → 5 큰 수

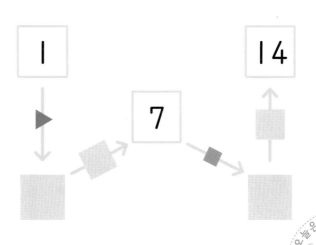

4

A02

성냥개비 셈

🌷 ▨ 안에서 성냥개비 1개를 **더해야** 할 곳을 표시하고, 올바른 식을 쓰시오.

🖨 온라인 활동지

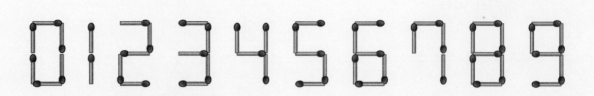

○ 보기 ○

4 + 5 = 3 ➡ 4 + 5 = 9

식 ➡ 4 + 5 = 9

1 + 7 = 9

식 ➡ _____

2 + 3 = 11

식 ➡ _____

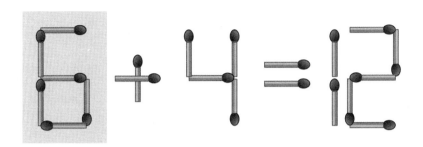

식 ➡ _____

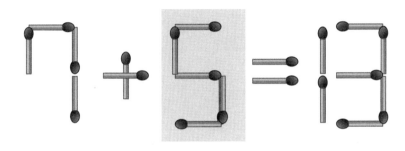

식 ➡ _____

4

A02

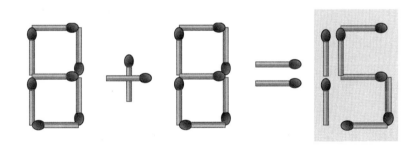

식 ➡ _____

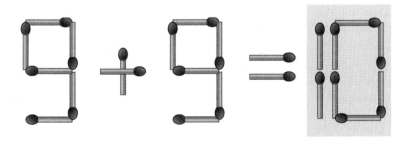

식 ➡ _____

😃 █ 안에서 성냥개비 **1개를 빼야** 할 곳을 찾아 ╳표 하고, 올바른 식을 쓰시오.

온라인 활동지

┌─○ 보기 ○──────────────────────────────┐

3 + 8 = 9 ▸ 3 + B̸ = 9

식 ➡ <u>3 + 6 = 9</u>

└───────────────────────────────────────┘

5 + 9 = 10   식 ➡ _____

8 + 6 = 15   식 ➡ _____

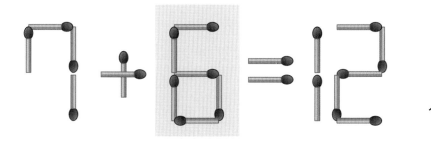

식 ➡ _____

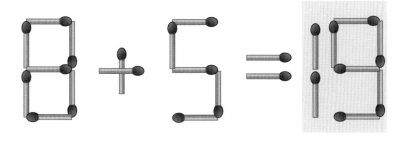

식 ➡ _____

4

A02

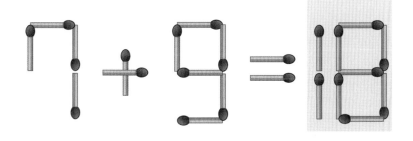

식 ➡ _____

식 ➡ _____

memo

A02
정답

스토리텔링

엄마 닭 세 마리가 알을 낳아 둥지로 가져가고 있어요. 양팔에 꼭 품고 가는 닭도 있고, 바구니에 담아 머리에 이고 가는 닭도 있네요. 맨 마지막 닭은 너무 욕심을 부리는 건 아닐런지… 엄마 닭이 둥지를 모두 채우려면 달걀을 몇 개씩 더 가져가야 할까요?

학습가이드

합이 10이 되는 두 수의 덧셈을 하는 과정입니다. 이는 받아올림이 있는 덧셈의 기초가 되므로 10의 보수 개념을 충분히 연습시키는 것이 중요합니다. 계란판 모형을 머리 속으로 떠올리며 답이 자동으로 나올 수 있도록 지도해 주세요.

$8 + 2 = 10$

➡️

$8 + 2 = 10$

➡️

$8 + 2 = 10$

P 8 ~ 9

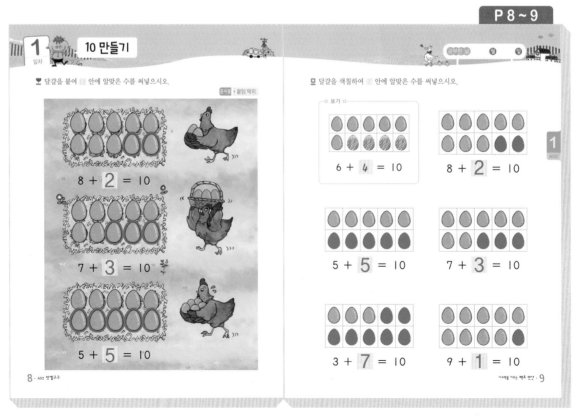

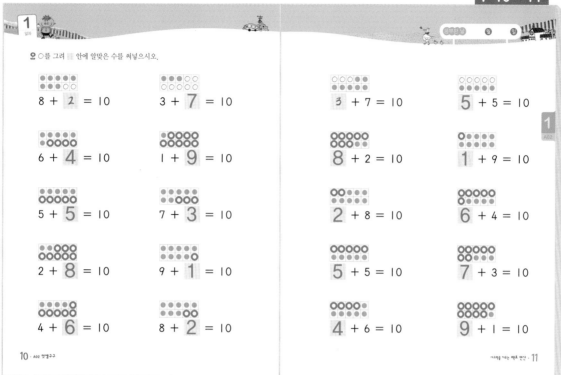

1 일차

오 ○를 그려 ▢ 안에 알맞은 수를 써넣으시오.

8 + 2 = 10 　　3 + 7 = 10 　　　　3 + 7 = 10 　　5 + 5 = 10

6 + 4 = 10 　　1 + 9 = 10 　　　　8 + 2 = 10 　　1 + 9 = 10

5 + 5 = 10 　　7 + 3 = 10 　　　　2 + 8 = 10 　　6 + 4 = 10

2 + 8 = 10 　　9 + 1 = 10 　　　　5 + 5 = 10 　　7 + 3 = 10

4 + 6 = 10 　　8 + 2 = 10 　　　　4 + 6 = 10 　　9 + 1 = 10

10 · A02 덧셈구구 　　　　　　　　　　　　　　사고력을 키우는 팩토 연산 · 11

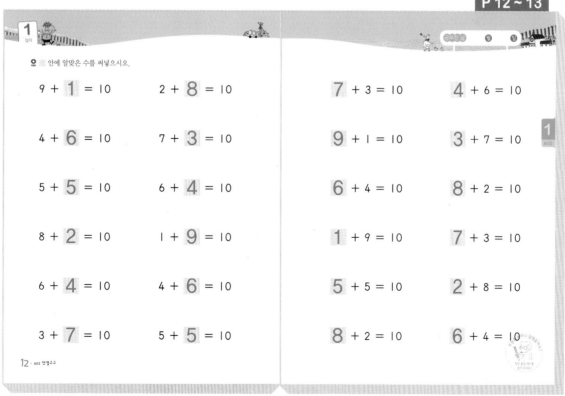

1 일차

오 ▢ 안에 알맞은 수를 써넣으시오.

9 + 1 = 10 　　2 + 8 = 10 　　　　7 + 3 = 10 　　4 + 6 = 10

4 + 6 = 10 　　7 + 3 = 10 　　　　9 + 1 = 10 　　3 + 7 = 10

5 + 5 = 10 　　6 + 4 = 10 　　　　6 + 4 = 10 　　8 + 2 = 10

8 + 2 = 10 　　1 + 9 = 10 　　　　1 + 9 = 10 　　7 + 3 = 10

6 + 4 = 10 　　4 + 6 = 10 　　　　5 + 5 = 10 　　2 + 8 = 10

3 + 7 = 10 　　5 + 5 = 10 　　　　8 + 2 = 10 　　6 + 4 = 10

12 · A02 덧셈구구

엄마 닭이 애타게 기다리던 병아리들이 태어나기 시작했어요. 어떤 엄마 닭은 신기한 듯 몇 마리나 태어났는지 손으로 세어 보고 있고, 또 어떤 엄마 닭은 신이 나서 노래를 부르고 있어요. 지금까지 태어난 병아리는 모두 몇 마리일까요?

학습가이드 3, 4, 5일차에 배우게 될 받아올림이 있는 한 자리 수의 덧셈을 학습하기 위해 '(십)+(몇)=(십 몇)'을 익히는 과정입니다. 이후 학습 과정 중 반드시 필요하므로 계란판 모형과 각 자리 숫자의 위치를 이용한 십진법의 원리를 이용하여 능숙히 익힐 수 있도록 지도해 주세요.

$$10 + 3 = 13 \Rightarrow 10 + 3 = 13 \Rightarrow 10 + 3 = 13$$

$$10 + 3 = 13$$

P 14 ~ 15

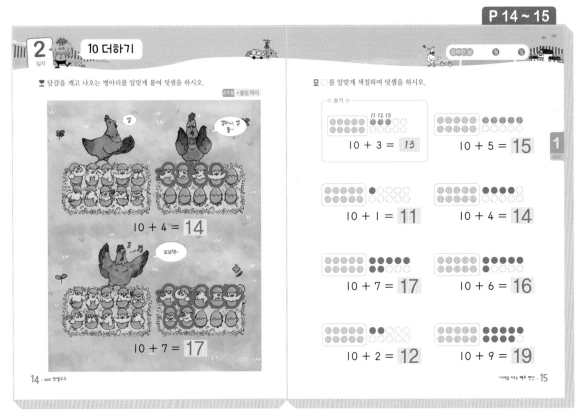

P 16 ~ 17

2 일차

○ 덧셈을 하시오.

10 + 3 = 1 3   9 + 10 = 1 9

10 + 7 = 17   2 + 10 = 12

10 + 4 = 14   6 + 10 = 16

10 + 1 = 11   7 + 10 = 17

10 + 6 = 16   5 + 10 = 15

10 + 8 = 18   3 + 10 = 13

16 · A02 덧셈구구

10 + 5	10 + 2	10 + 6
1 5	12	16

10 + 7	10 + 1	10 + 8
17	11	18

4 + 10	7 + 10	3 + 10
1 4	17	13

8 + 10	2 + 10	9 + 10
18	12	19

사고력을 키우는 팩토 연산 · 17

P 18 ~ 19

2 일차

○ 덧셈을 하시오.

10 + 6 = 16   2 + 10 = 12

10 + 9 = 19   5 + 10 = 15

10 + 1 = 11   8 + 10 = 18

10 + 3 = 13   4 + 10 = 14

10 + 8 = 18   7 + 10 = 17

10 + 4 = 14   9 + 10 = 19

18 · A02 덧셈구구

10 + 6	10 + 4	10 + 1
16	14	11

10 + 8	10 + 3	10 + 5
18	13	15

7 + 10	2 + 10	9 + 10
17	12	19

5 + 10	6 + 10	3 + 10
15	16	13

스토리텔링

책상 위에 물이 채워진 시험관 세 개가 있어요. 두 친구가 무언가 곰곰히 생각하고 있네요. 아~ 세 개의 시험관에 담긴 물의 양이 궁금한가 봐요. 두 시험관의 물을 모아 한 시험관의 물의 양을 10으로 만들면 쉽게 알 수 있을 것 같아요.
물이 얼마나 들어있는지 한번 알아볼까요?

학습가이드

세 수의 덧셈에서 10이 되는 두 수를 먼저 더한 후 나머지 수를 더하는 방법을 익히는 과정입니다. 앞에서부터 수를 차례로 더하는 것보다 10을 만들어 더하는 것이 더 쉽다는 것을 느낄 수 있도록 지도해 주세요. 이는 4, 5일차에 배우게 될 받아올림이 있는 한 자리 수의 덧셈을 학습할 때 반드시 필요하므로 충분히 연습해 주세요.

$$8+2+4 = 14 \Rightarrow 8+2+4 = 14$$

P 20 ~ 21

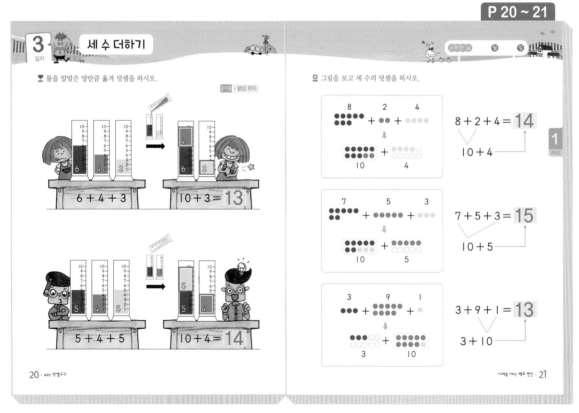

P 22 ~ 23

3 일차

☯ 10이 되는 두 수를 찾아 세 수의 덧셈을 하시오.

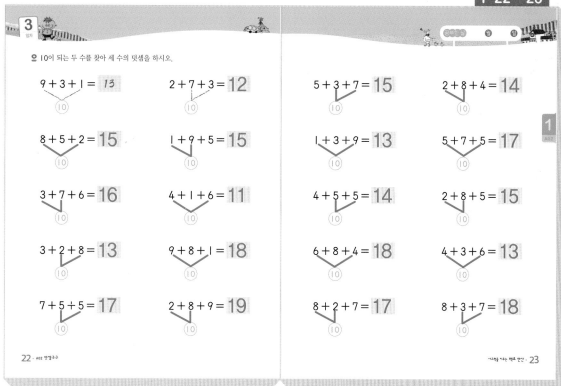

$9 + 3 + 1 = 13$

$2 + 7 + 3 = 12$

$5 + 3 + 7 = 15$

$2 + 8 + 4 = 14$

$8 + 5 + 2 = 15$

$1 + 9 + 5 = 15$

$1 + 3 + 9 = 13$

$5 + 7 + 5 = 17$

$3 + 7 + 6 = 16$

$4 + 1 + 6 = 11$

$4 + 5 + 5 = 14$

$2 + 8 + 5 = 15$

$3 + 2 + 8 = 13$

$9 + 8 + 1 = 18$

$6 + 8 + 4 = 18$

$4 + 3 + 6 = 13$

$7 + 5 + 5 = 17$

$2 + 8 + 9 = 19$

$8 + 2 + 7 = 17$

$8 + 3 + 7 = 18$

22 · A02 덧셈구구

사고력을 키우는 팩토 연산 · 23

P 24 ~ 25

3 일차

☯ 덧셈을 하시오.

$4 + 2 + 8 = 14$

$7 + 9 + 3 = 19$

$5 + 5 + 3 = 13$

$9 + 2 + 1 = 12$

$8 + 2 + 6 = 16$

$4 + 6 + 8 = 18$

$6 + 1 + 4 = 11$

$4 + 3 + 7 = 14$

$1 + 3 + 9 = 13$

$6 + 5 + 5 = 16$

$7 + 8 + 2 = 17$

$4 + 6 + 8 = 18$

$9 + 1 + 2 = 12$

$8 + 1 + 2 = 11$

$1 + 9 + 5 = 15$

$5 + 4 + 5 = 14$

$5 + 7 + 5 = 17$

$9 + 4 + 6 = 19$

$7 + 3 + 8 = 18$

$6 + 3 + 7 = 16$

$5 + 4 + 6 = 15$

$9 + 8 + 1 = 18$

$4 + 3 + 6 = 13$

$8 + 9 + 2 = 19$

24 · A02 덧셈구구

스토리텔링

두 친구 앞에 시험관이 2개 있네요. 이번에도 2개의 시험관에 담긴 물의 양이 궁금한가 봐요. 어느 한 쪽의 시험관의 물을 다른 쪽으로 조금만 옮기면 물의 양이 10이 되어 쉽게 알 수 있을 것 같은데…. 과연 어느 시험관의 물을 옮기면 될까요?

학습가이드

받아올림이 있는 한 자리 수의 덧셈에서 뒤의 수를 갈라 합이 10이 되는 두 수를 이용하여 계산하는 과정입니다. 이 방법은 '9+3, 7+4, 8+5'와 같이 앞의 수가 뒤의 수보다 더 큰 경우에 사용하는 것이 편리하고, 정확하고 빠르게 답을 구할 수 있는 방법임을 느낄 수 있게 지도해 주세요.

$$9 + 3 = 12 \Rightarrow 9 + 3 = 12$$

P 26 ~ 27

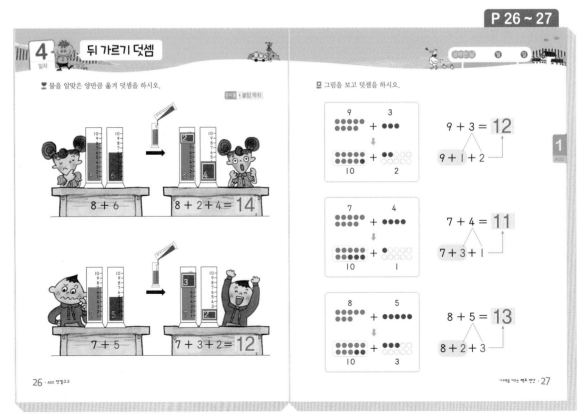

P 28 ~ 29

4

○ 뒤의 수를 갈라 덧셈을 하시오.

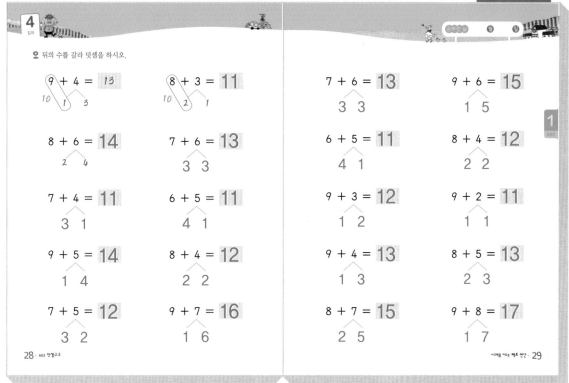

⑨ + 4 = 13
10 1   3

⑧ + 3 = 11
10 2   1

7 + 6 = 13
    3 3

9 + 6 = 15
    1 5

8 + 6 = 14
    2 4

7 + 6 = 13
    3 3

6 + 5 = 11
    4 1

8 + 4 = 12
    2 2

7 + 4 = 11
    3 1

6 + 5 = 11
    4 1

9 + 3 = 12
    1 2

9 + 2 = 11
    1 1

9 + 5 = 14
    1 4

8 + 4 = 12
    2 2

9 + 4 = 13
    1 3

8 + 5 = 13
    2 3

7 + 5 = 12
    3 2

9 + 7 = 16
    1 6

8 + 7 = 15
    2 5

9 + 8 = 17
    1 7

P 30 ~ 31

4

○ 덧셈을 하시오.

8 + 4 = 12

9 + 4 = 13

9 + 2 = 11

8 + 5 = 13

6 + 5 = 11

8 + 6 = 14

7 + 6 = 13

9 + 6 = 15

9 + 3 = 12

9 + 5 = 14

8 + 7 = 15

7 + 5 = 12

7 + 4 = 11

8 + 3 = 11

9 + 8 = 17

8 + 4 = 12

8 + 5 = 13

7 + 6 = 13

7 + 5 = 12

9 + 7 = 16

9 + 8 = 17

9 + 7 = 16

9 + 5 = 14

6 + 5 = 11

스토리텔링

이번에도 친구 앞에 시험관 2개가 놓여 있네요. 역시 물의 양을 알고 싶은가 봐요.
이제 2명의 친구들이 어느 시험관의 물을 옮겨 물의 양을 쉽게 알아낼지 눈치 채었죠?

학습가이드

받아올림이 있는 한 자리 수의 덧셈에서 앞의 수를 갈라 합이 10이 되는 두 수를 이용하여
계산하는 과정입니다. 이 방법은 '4+9, 5+7, 3+8'과 같이 뒤의 수가 앞의 수보다 더 클 때
사용하는 것이 편리하고, 정확하고 빠르게 답을 구할 수 있는 방법임을 느낄 수 있게 지도해
주세요.

$$4 + 7 = 11 \Rightarrow 4 + 7 = 11$$

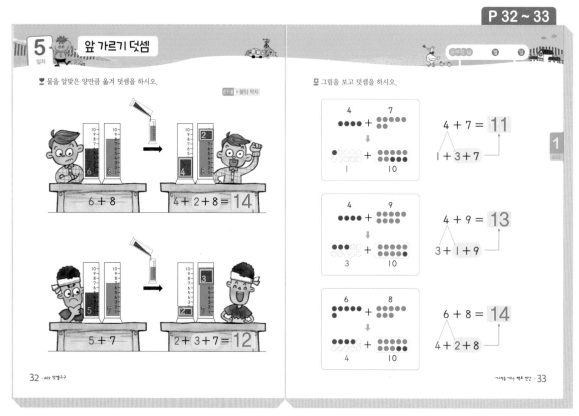

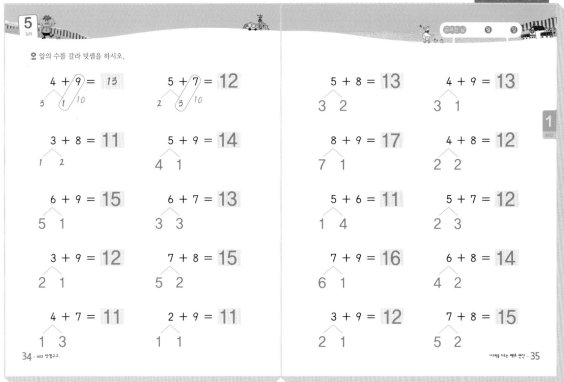

P 34 ~ 35

P 34 ~ 35

앞의 수를 갈라 덧셈을 하시오.

4 + 9 = 13   3 1 10
5 + 7 = 12   2 3 10
5 + 8 = 13   3 2
4 + 9 = 13   3 1

3 + 8 = 11   1 2
5 + 9 = 14   4 1
8 + 9 = 17   7 1
4 + 8 = 12   2 2

6 + 9 = 15   5 1
6 + 7 = 13   3 3
5 + 6 = 11   1 4
5 + 7 = 12   2 3

3 + 9 = 12   2 1
7 + 8 = 15   5 2
7 + 9 = 16   6 1
6 + 8 = 14   4 2

4 + 7 = 11   1 3
2 + 9 = 11   1 1
3 + 9 = 12   2 1
7 + 8 = 15   5 2

P 36 ~ 37

덧셈을 하시오.

3 + 9 = 12   6 + 8 = 14   4 + 7 = 11   5 + 9 = 14

5 + 8 = 13   8 + 9 = 17   6 + 8 = 14   4 + 8 = 12

4 + 7 = 11   7 + 8 = 15   3 + 9 = 12   2 + 9 = 11

6 + 9 = 15   2 + 9 = 11   5 + 6 = 11   5 + 8 = 13

4 + 8 = 12   5 + 7 = 12   6 + 7 = 13   3 + 8 = 11

6 + 7 = 13   7 + 9 = 16   8 + 9 = 17   6 + 9 = 15

P 38 ~ 39

연산 실력 체크

정답 수	/ 40개
날 짜	월 일

2~4주 사고력 연산을 학습하기 전에 기본 연산 실력을 점검해 보세요.

1. 9 + 2 = 11
2. 7 + 6 = 13
3. 4 + 8 = 12
4. 9 + 7 = 16
5. 8 + 6 = 14
6. 6 + 6 = 12

7. 5 + 8 = 13
8. 9 + 1 = 10
9. 7 + 7 = 14
10. 4 + 9 = 13
11. 5 + 6 = 11
12. 8 + 9 = 17

연산 실력 체크

13. 9 + 5 = 14
14. 8 + 7 = 15
15. 2 + 9 = 11
16. 8 + 5 = 13
17. 6 + 8 = 14
18. 7 + 4 = 11

19. 8 + 4 = 12
20. 6 + 9 = 15
21. 5 + 5 = 10
22. 9 + 8 = 17
23. 9 + 9 = 18
24. 6 + 7 = 13

P 40 ~ 41

 덧셈구구

25. 8 + 3 = 11
26. 9 + 4 = 13
27. 5 + 7 = 12
28. 9 + 6 = 15
29. 6 + 8 = 14
30. 8 + 8 = 16

31. 7 + 5 = 12
32. 6 + 7 = 13
33. 7 + 8 = 15
34. 4 + 7 = 11
35. 9 + 3 = 12
36. 5 + 9 = 14

연산 실력 체크

37. 7 + 9 = 16
38. 6 + 5 = 11

39. 8 + 5 = 13
40. 9 + 9 = 18

연산 실력 분석

오답 수에 맞게 학습을 진행하시기 바랍니다.

평가	오답 수	학습 방법
최고예요	0 ~ 2개	전반적으로 학습 내용에 대해 정확히 이해하고 있으며 매우 우수합니다. 기본 연산 문제를 자신 있게 빠르게 풀 수 있는 실력을 갖추었으므로 이해 및 사고력을 향상시킬 자례입니다. 2주차부터 차근차근 학습을 진행해 보세요. 학습 [2주차] → [3주차] → [4주차]
잘했어요	3 ~ 4개	기본 연산 문제를 전반적으로 잘 이해하고 풀었지만 약간의 실수가 있는 것 같습니다. 틀린 문제를 다시 한 번 풀어 보고, 문제를 차근차근 푸는 습관을 강도록 노력해 보세요. 매스티안 홈페이지에서 제공하는 보충 학습으로 연산 실력을 향상시킨 후 2, 3, 4주차 학습을 진행해 주세요. 학습 [틀린 문제 복습] → [보충 학습] → [2주차] …
노력해요	5개 이상	개념을 정확하게 이해하고 있지 않아 연산을 하는 데 어려움이 있습니다. 개념을 이해하고 연산 문제를 반복해서 연습해 보세요. 매스티안 홈페이지에서 제공하는 보충 학습이 연산 실력을 향상시키는 데 도움이 될 것입니다. 여러분도 곧 연산왕이 될 수 있습니다. 조금만 힘을 내 주세요. 학습 [1주차 원리 중심 복습] → [보충 학습] → [2주차] …

매스티안 홈페이지: www.mathtian.com

P 44 ~ 45

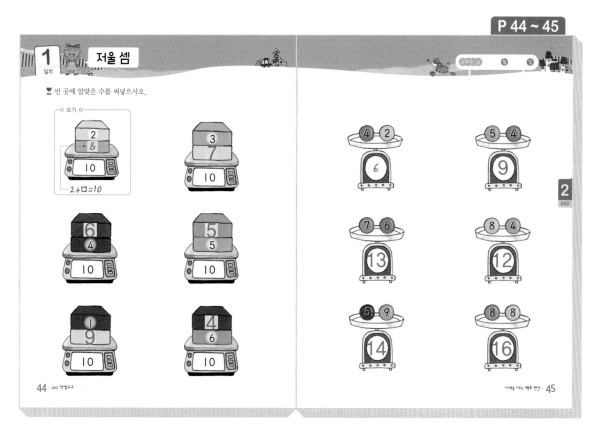

P 48 ~ 49

2일차 수 상자 셈

빈 곳에 알맞은 수를 써넣으시오.

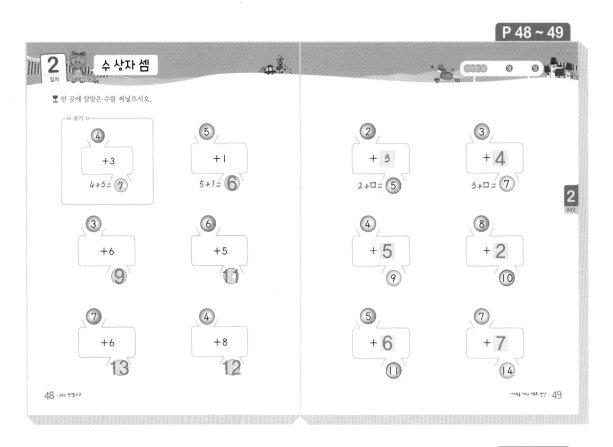

보기
④
+3
4+3= ⑦

⑤
+1
5+1= ⑥

②
+3
2+□= ⑤

③
+4
3+□= ⑦

③
+6
⑨

⑥
+5
⑪

④
+5
⑨

⑧
+2
⑩

⑦
+6
⑬

④
+8
⑫

⑤
+6
⑪

⑦
+7
⑭

48 · A02 덧셈구구

가르치며 키우는 재료 연산 · 49

P 50 ~ 51

2일차

⬤ 안에 알맞은 수를 써넣으시오.

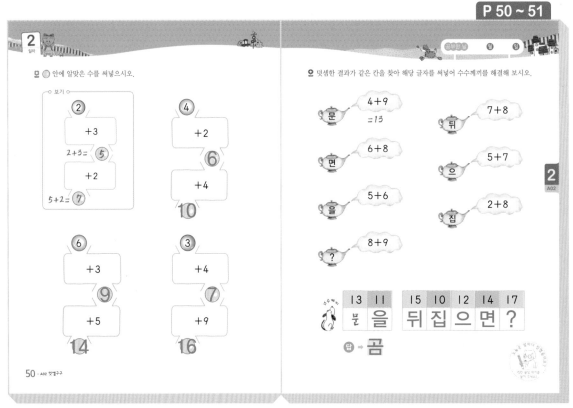

보기
②
+3
2+3= ⑤
+2
5+2= ⑦

④
+2
⑥
+4
⑩

⑥
+3
⑨
+5
⑭

③
+4
⑦
+9
⑯

덧셈한 결과가 같은 칸을 찾아 해당 글자를 써넣어 수수께끼를 해결해 보시오.

문 4+9 =13
면 6+8
을 5+6
? 8+9

뒤 7+8
으 5+7
집 2+8

13	11	15	10	12	14	17
문	을	뒤	집	으	면	?

답 ➡ 곰

50 · A02 덧셈구구

P 52 ~ 53

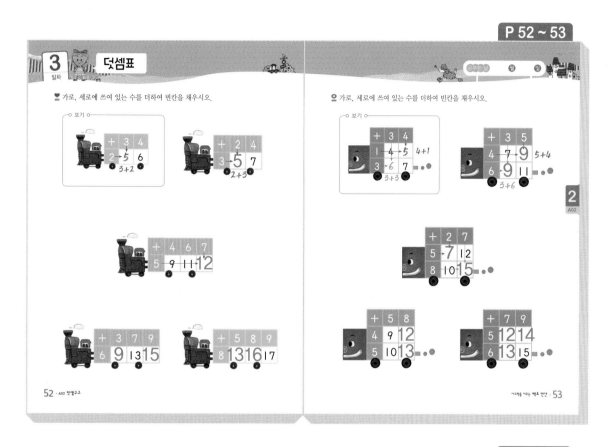

P 54 ~ 55

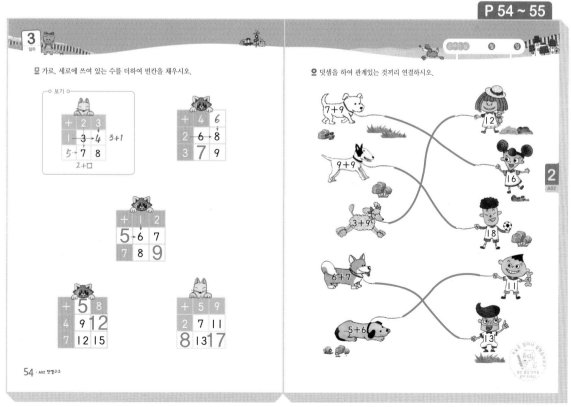

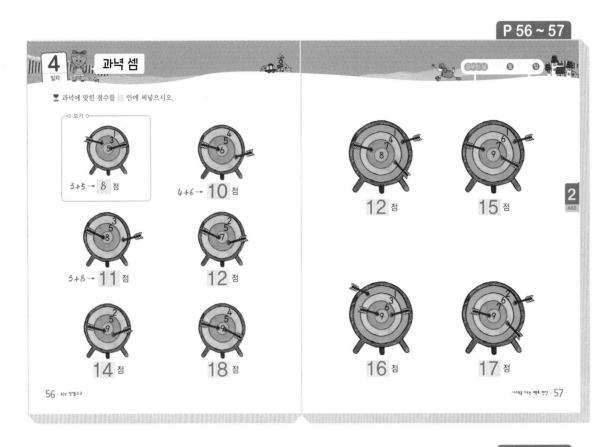

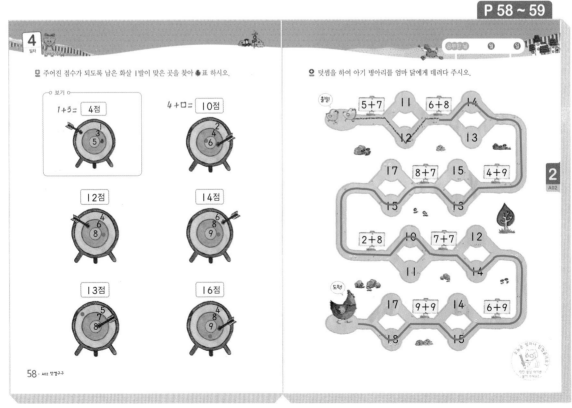

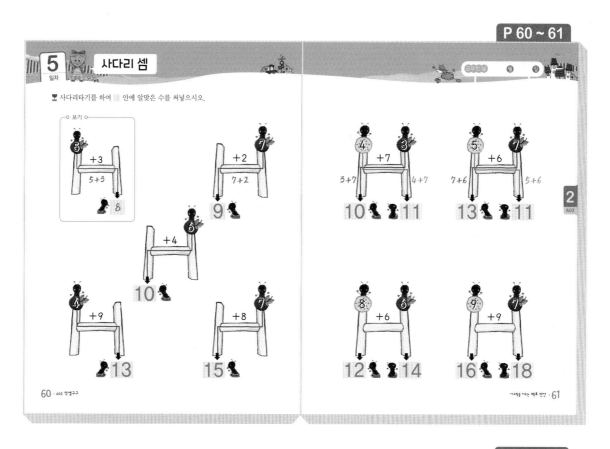

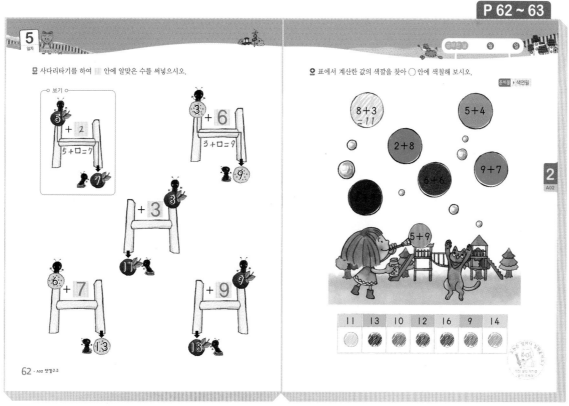

P 66 ~ 67

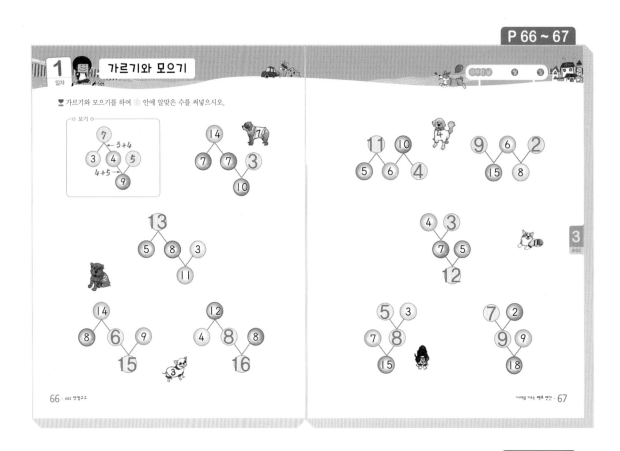

사고력을 키우는 팩토 연산 · 67

P 68 ~ 69

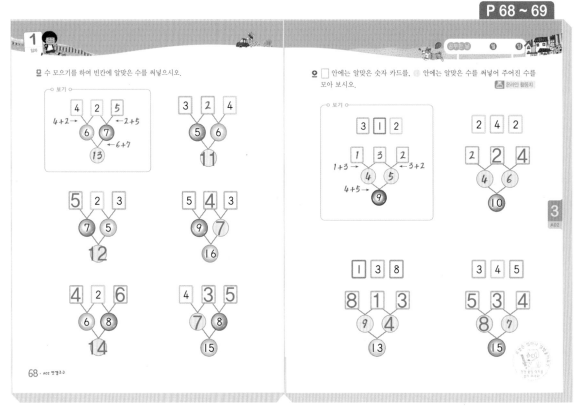

P 70 ~ 71

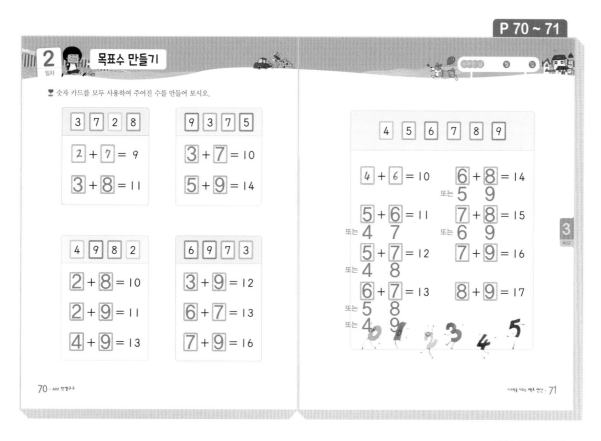

P 72 ~ 73

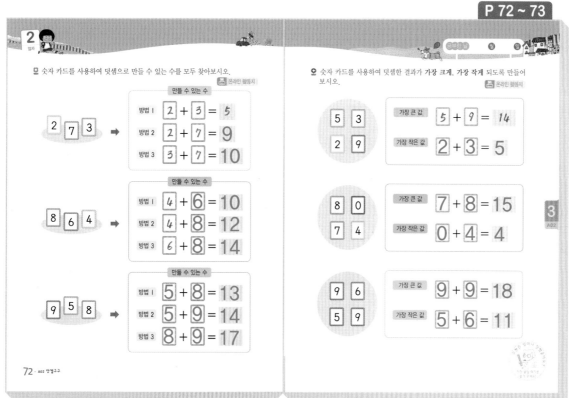

P 74 ~ 75

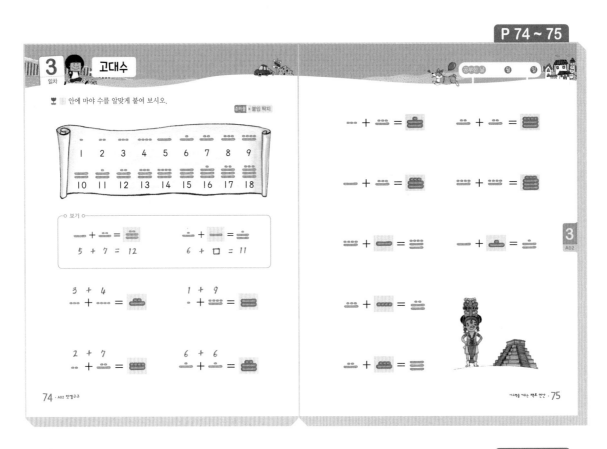

P 76 ~ 77

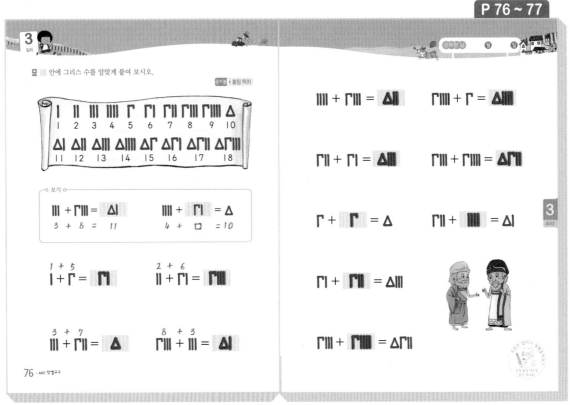

P 78 ~ 79

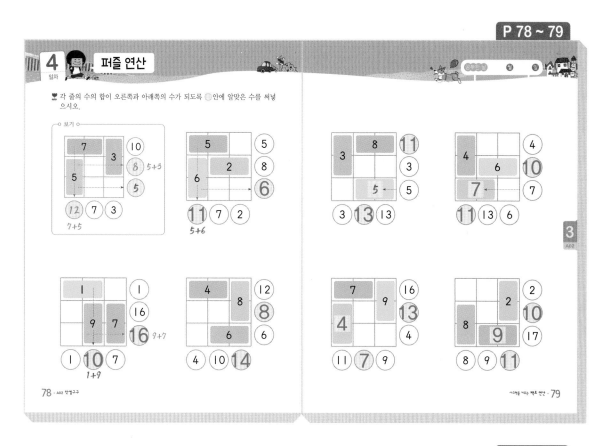

P 80 ~ 81

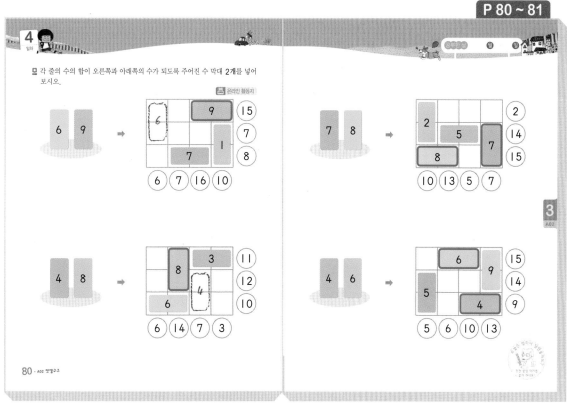

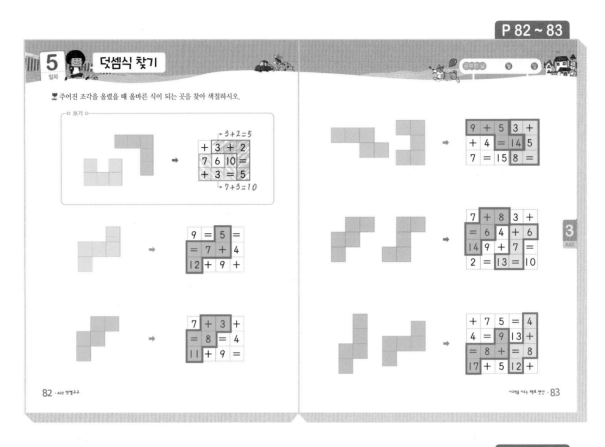

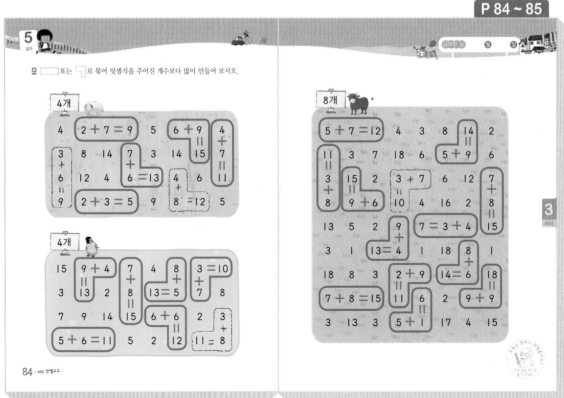

1일차 도형이 나타내는 수

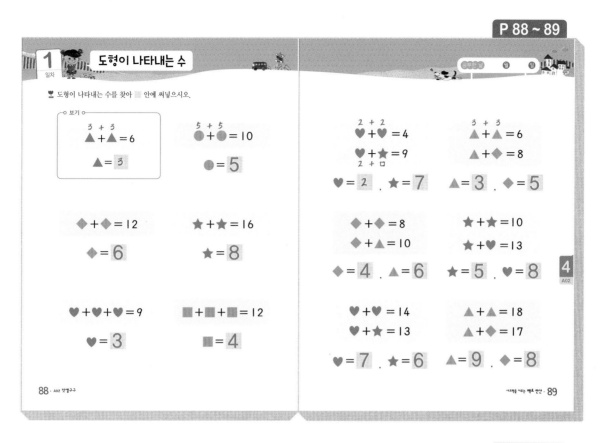

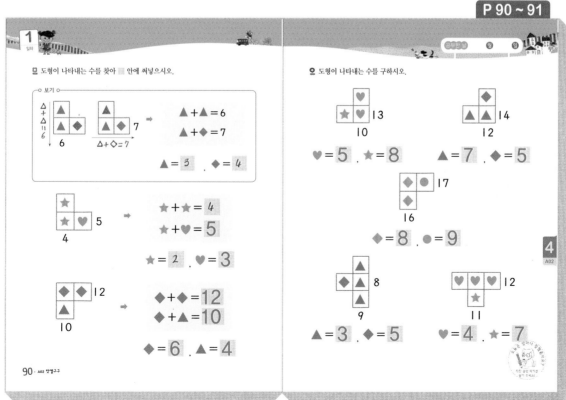

90 · A02 덧셈구구

P 92 ~ 93

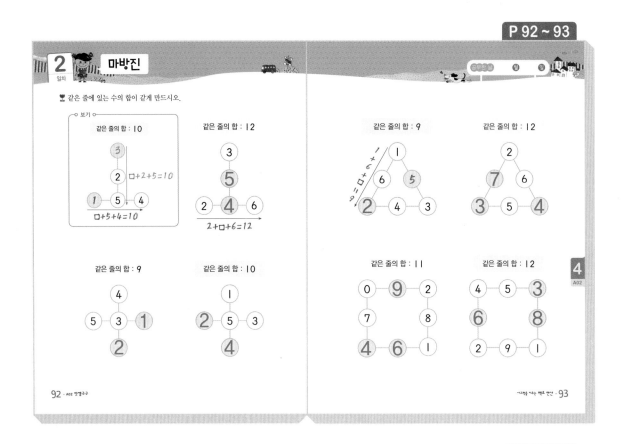

P 94 ~ 95

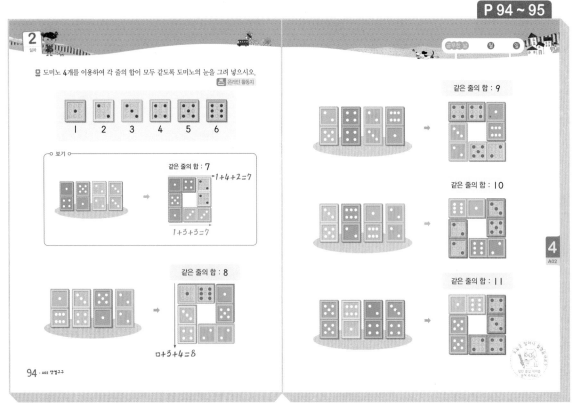

P 96 ~ 97

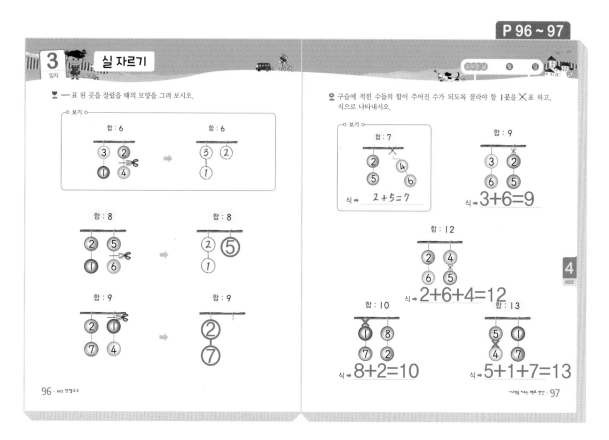

P 98 ~ 99

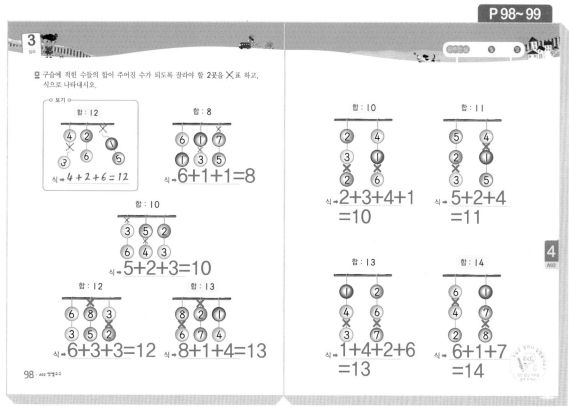

P 100 ~ 101

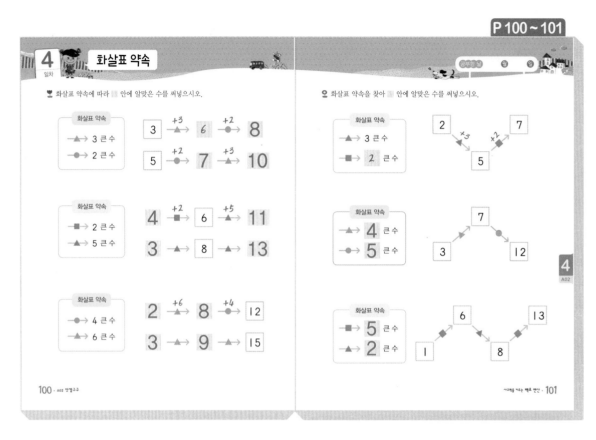

P 102 ~ 103

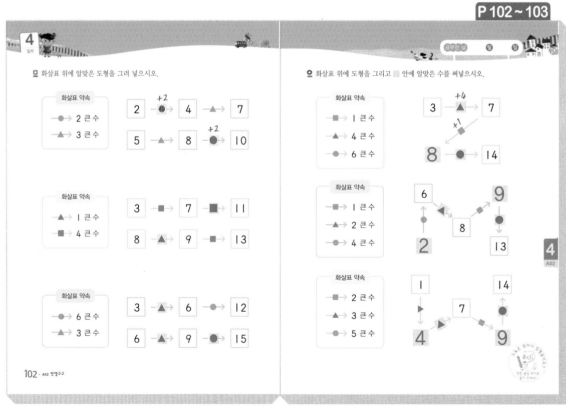

P 104~105

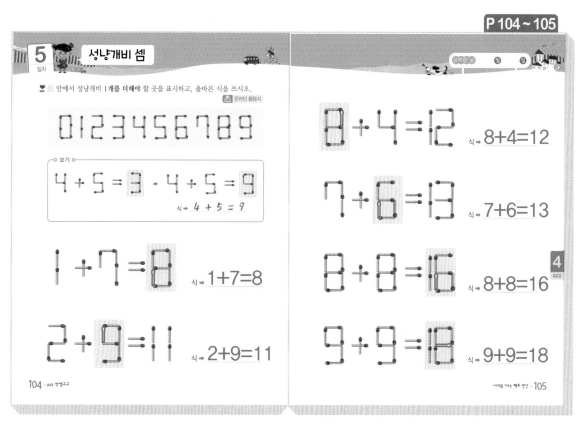

P 106~107

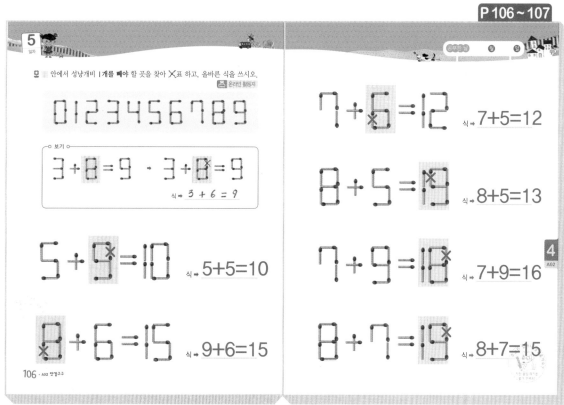

memo

상 장

이 름 : _____

위 어린이는 **팩토 연산 A02권**을
창의적인 생각과 노력으로 성실히
잘 풀었으므로 이 상장을 드립니다.

20 년 월 일

매스티안